鄭良樹著

古籍辨僞學

臺灣學生書局印行

自序

古籍辨僞學所研究的應該是古籍的作者、成書時代及附益等三方面的課題，通過這三方面的研究來鑑定古籍的眞和僞。所謂眞，是指古籍與作者或成書時代相符；所謂僞，是指其傳聞者和它確實的作者、成書時代相乖，甚至有附益的篇章和文字。一部傳聞爲「眞」的古籍，經過後人的考訂，有可能被判定爲「僞」；相反的，一部被認爲「僞」的古籍，經過後人的研究，也可能恢復其「眞」的身份；因此，古籍辨僞學實際上應該包含來往的兩條研究路線，不但要研究「眞」書，也要考訂「僞」書，是一門「眞到僞」「僞到眞」雙軌同時進行的學問。

既然是雙軌同時研究的學問，那麼，「古籍辨僞學」這個名稱恐怕就不十分理想了。這樣的一個名稱，很容易使人產生一種錯覺；只研究「眞」書，並不研究相傳的「僞」書。因爲「眞」書被研究並判定其爲「僞」書，所以才叫「辨僞學」；如果是「僞」書被研究並恢復其「眞」的地位，那就應該叫「辨眞學」呀。因此，「古籍辨僞學」這個名稱恐怕並不十分理想。

其實，在張心澂出版他的《僞書通考》時，就已經按上一個不十分理想的名稱了。研究一部古籍的作者、成書時代及附益的問題時，最終的結果可能被判爲「僞」，也可能再次被肯定爲「眞」，這兩種情形都同時存在的，那麼，我們怎麼只能夠根據「眞到僞」一邊的路線而按上名稱呢？清代姚際恆撰《古今僞書考》時，情形和張心澂不相同，他進行的確實只是「眞到僞」的單線研究而已；翻開《僞書通考》，所滙進的却包括了來往兩線的資料，那麼，因襲舊名「僞書」恐怕就不太理想了。

梁任公將他在燕京大學一系列的演講稿訂名爲「古書眞僞及其年代」，應該是一個比較理想的名稱，至少它不會讓人產生單軌的錯覺。如果將這門學問改稱「古籍眞僞學」，也許會比較理想一些，至少它已經表達了「眞到僞」「僞到眞」的雙軌研究。然而，這樣的修改可能會產生下列的問題：

第一、如果「眞」「僞」二字當名詞來用的話，「眞」指沒有問題的古籍，「僞」則反之。然則，過去長期以來在眞僞存疑之間、富有爭議性的古籍，稱它爲「僞」固然略有委屈之嫌，但是，可以改口稱「眞」嗎？顯然是不可以的。因爲「僞」字可以涵蓋眞僞存疑，而「眞」字却不能。如此一來，「古籍眞僞學」的「眞」字豈不是要落空了嗎？

第二、如果「眞」「僞」二字當兩個平行的動詞來用的話，那麼，就等於說是「古籍眞學」及「古籍僞學」的合語了。「古籍眞學」、「古籍僞學」似乎也說得通，但是，總沒有「古籍辨眞學」、「古籍辨僞學」來得恰當和順口，因爲「辨」似乎是不可或缺的一個字。龐樸就寫過一篇論文叫《公孫龍子辨眞》（見《文史》第四輯），至於以「辨僞」爲名的論文及專書，就多得不勝枚舉，可見還是「辨眞」「辨僞」比較習慣一些。

「古籍眞僞考訂學」恐怕是對古籍眞僞雙方最「大公無私」的一個名稱，而且語義既明確又清楚，但是，缺點是名字實在太嚕嗦，不夠精簡。因此，與其含糊和嚕嗦，還是沿襲精簡而不十分理想的舊名，然後，再加上「古籍」二字，把鑑別眞僞的範圍限定在古書內。

這門學問雖然發軔於漢朝，却要到明、清才開始成熟，並且受到大用的重視。民國初年，在古史辨學派的推動下，在學術界佔着相當重要的一個席位，在某種程度上支配了古史的研究。梁任公於民國十六年完成了《古書眞僞及其年代》，張心澂於民國三十九年編成《僞書通考》，卷端附有總論一則；到了這個時候，這門學問才出現比較有系統的理論著作及參考工具書，讓學者們依循漸進。

雖然如此，它在學術界應有的地位似乎還沒正式被賦予。當我們研究某一問題涉及古書眞僞時，頂多把梁任公及張心澂的大著拿來翻一翻，模擬其方法，翻檢有關資料；很少人檢討這些辨僞方法的可靠程度、極限，也很少人考慮到在進行辨僞時應當保持一種怎麼樣的態度，更很少人通過批判的方法去反省及鑑定前人的結論。此外，俯視海內外各大學中文系及研究所的課程，除私立文化大學開列有「辨僞學」外，不見各大學添設此課，那麼，它在學術界的地位就可想而知了。

晚近數十年來，在古史辨學派的鼓動下，古籍辨僞學固然日益顯現其重要性，却也不能避免地受其影響而走到一條激進的路子上去。在此風氣籠罩之下，許多古籍都被打進冷宮，成爲「千夫所指」的僞書，使我們蒙受許多無法估計的損失，也讓我們的古籍蒙受許多不白之寃。邇來地下出土資料愈來愈多，更加證明前一、二代某些學者在辨僞態度及方法上的偏差，如何廓清眞僞的界線，如何抱持辨僞的態度，以及如何建立新的理論等等，似乎是導引這門學問走上客觀的路子所應有的工作。惟有在客觀的、科學的及心平氣靜的研究之下，我們的古籍乃至於歷史、文化等，才能免於寃屈。

四年前秋天，良樹很榮幸地回到自己母校國立臺灣大學客串一年，在研究所裏開設了這門課，除指導學生從事辨僞的實習外，也講一些理論上的問題。良樹自愧書讀得不多，見解也很平凡，對學生沒有甚麼助益，有負母校的厚望。離校之前，將所帶去的資料編成《續僞書通考》，聊作張心澂大著的續篇，已由學生書局出版。回來後，又花一些時間，將課內所講的加以整理，分章分節，寫成這本小書；至於實習部分，則全部删除以省篇幅。這本小書只能當作這門學問的進階而已，不敢云學術耳。發凡起例非易，增補修訂有待來日，尚祈專家學者有以教我。

良樹數十年來，承恩師王叔岷教授扶掖提携，師恩如山之重，如海之深。數年前，王師退休新、馬，回中央研究院史語所續任研究員，山河阻隔，無法隨侍，更無緣再獲親炙。南陬荒炎，思慕再三，謹以此書爲王師七秩晉二壽，並祝王師冬夏青青，健壯如昔。

一九八六年四月二十九日王師壽辰，鄭良樹

序於馬來亞大學文學院第二二四研究室

古籍辨僞學

目錄

第一章　成立及其研究範圍

任何一門學問，都有它孕育和成長的過程。在孕育的階段中，它可能是另一門學問的附庸，由於理論未完成、價值未顯露，它暫時沒法獨立，形成自己的王國。歷史逐步發展，時代愈來愈進步，而學問的分科也愈來愈精細，原本蔚爲大王國的一門學問，或者原本併合幾個小城邦的大學問，後來逐漸離析獨立，離開了孕育的階段，成爲一個獨立的個體，建立起自己的理論、方法和價值。有的學問發軔得早，很快就獨立爲國；有的學問却需要相當時日的孕育，才能呱呱墜地，形成自己的天地。

古籍辨僞學無可置疑的，是屬於後者；它孕育自西漢，或許更早的先秦，然而，它却經過很長時期的懷胎，才得以完成自己的血肉和骨骼，與其他的學問，並立於天地之間。

遠在西漢末年，劉向已經擁有辨別古籍眞僞的能力和方法。劉向的著作雖然絕大部分已亡佚，不過，班固《漢書·藝文志》却被公認爲保存了他重要著作《七略》的大部分本來面貌。透過《漢書·藝文志》，我們可以窺見當日古籍辨僞和目錄學的關係；茲引數條以明之：

《諸子略》小說家有《黃帝說》四十篇，《注》云：「迂誕依託。」

《諸子略》雜家有《大禹》三十七篇，《注》云：「傳言禹所作，其文似後世語。」

道家有《文子》九篇，《注》云：「老子弟子，與孔子並時，而稱周平王問，似依託者也。」

《兵書略》陰陽類有《封胡》五篇，《注》云：「黃帝臣，依託也。」

或云「依託」，或云「似後世語」，都莫不顯示出他辨別古籍眞僞的能力。在這個時候，古籍辨僞和校讎、版本一樣，都沒有自己的園地，僅附庸孕育在目錄學這面大旗幟底下，情形就好像過去形體、聲韻及訓詁附庸孕育在文字學底下一樣。

西漢末年，雖然古籍辨僞的事件時而發生，例如《論衡·正說篇》云：

東海張霸按百篇之序，空造百兩之篇，獻之成帝。帝出秘書百篇以校之，皆不相應。於是，下霸於吏，吏白：「霸罪當至死。」成帝高其才而不誅，亦惜其文而不滅，故百兩之篇傳在世間。

張霸獻呈《尚書》百兩篇，被辨認爲私門僞造，是當時一件大事。梁任公《古書眞僞及其年代》❶又記載了兩件事，云：

當馬融、鄭玄正在融和今古文，注解三《禮》、《尚書》……的時候，鄭玄的弟子臨孝存却根本不相信《周禮》，說是「末世瀆亂不經之書」，專門做了十論七難來辨別《周禮》不是真的。……另外，何休也曾經說「《周禮》是六國陰謀書」。

兩人都異口同聲地對《周禮》的眞僞表示懷疑。儘管如此，這個時期的古籍辨僞，似乎還只是經學或漢學的胚胎而已。

到了隋、唐，情形也似乎沒轉變。《隋書・經籍志・孝經類》及《孝經類・小序》分別說：

古文《孝經》一卷，孔安國傳，梁末亡逸，今疑非古本。又有鄭氏《注》，相傳或云鄭玄，其立義與玄所注餘書不同，故疑之。

再如顏師古，他在注解《漢書》時說：

（《孔子家語》二十七卷）非今所有《家語》❷。

（《讕言》十篇）說者引《孔子家語》云：「孔穿所造。」非也❸。

今有《西京雜記》者，其書淺俗出于里巷，亦不知為何人所作❹。

在他們的腦海裏，古籍辨僞不過是目錄學的一條小溪流，不過是個別零碎的一門小學問而已。

劉知幾《史通》有《疑古篇》，似乎是古籍辨僞的重要著作，顧頡剛即將它編入《古籍考辨叢刊》第一集內，其備受重視，於此可見了。然而，仔細推敲研究，這個胚胎却還處在古史考辨和古經訓說的夾縫中，沒到達瓜熟蒂落的地步。試觀他在《疑古篇》所舉出的十條「疑事」，除了第四條「凡此數事，語異正經，其書近出，世人多不之信也」，偶而涉及古籍眞僞之外，其他九條所討論的，都正如他在篇末所說：「今取其正經雅言，理有難曉，諸子異說，義或可憑，參而會之，以相研覈……夫遠古之書與近古之史，非惟繁約不類，固亦向背皆殊。」古書和近史頗有歧異，所以，他依據各種異說，研覈董理，參會疏通，使學者知古書之妄及古說之虛，如此說來，他是在考辨古史和訓說古經，而不是在辨別古籍本身的眞僞了。

劉氏在《疑古篇》裏一再批評一些古籍，他批評《左傳》是「左氏之爲傳也，雖義本釋經而語雜他事，遂使兩漢儒者嫉之若讎」，批評《周書》是「夫《周書》之作，本出《尚書》」，甚至對一般的古籍，也作「孟子曰：『盡信書不如無書；《武成》之篇，吾取其二三簡。』推而言之，則遠古之事，其妄甚矣」的批評，不過，他所批評的只是這些古籍裏所載的古史，而不是這些古籍本身的眞僞問題。

《史通》又有《申左篇》及《雜說》上下，都是討論古史眞僞的文章，和古籍辨僞沒有多大的關係。雖然《雜說》下說：

李陵集有與蘇武書，詞采壯麗，音句流靡，觀其文體，不類西漢人；殆後來所為，假稱陵作也。遷史缺而不載，良有以焉。編於李集中，斯為謬矣！

討論了李陵集中《與蘇武書》的可靠性，算是辨僞學的範圍了；不過，由於單則孤篇，並非全書重點所在，所以，也就無法完成這個胚胎的哺育工作，更不要說讓它降生人間了。

柳宗元對子書及《論語》一系列的考訂文字，是最令人注意的了。他考辨《列子》、《文子》、《論語》、《鬼谷子》、《晏子春秋》、《亢倉子》及《鶡冠子》等，一直到現在，還是學術界所樂於徵引的對象。是他，從西漢以來第一位專門爲幾部古籍寫下一系列的辨僞文字；也是他，第一位將一系列古籍辨僞的文字從目錄學、經學及注疏學獨立出來，彙爲一個完整的單位。從這觀點來看，我們就瞭解柳宗元這一系列文字在古籍辨僞學史裏的地位了，更何況其中不少論點，時至今日還是相當正確。柳宗元這一系列的文字，似乎不光是爲古籍辨僞而寫的，試讀下列幾則文字：

（辨《列子》）……其楊朱、力命，疑其楊子書；其言魏牟、孔穿，皆出列子後，不可信；然觀其辭亦足通知古之多異術也，讀焉者慎取之而已矣。（辨《文子》）……然觀其往往有可立者，又頗惜之。憫其為之也勞，今刊去謬惡亂雜者，取其似是者，又頗為發其意，藏於家。（辨《晏子春秋》）……自劉向、歆、班彪、固父子，皆錄之儒家中，甚矣數子之不詳也！蓋非齊人不能具其事，非墨子之徒則其言不若是。後之錄諸子書者，宜列之墨家；非晏子為墨也，為是書者墨之道也。

這三段文字雖然只佔一小部分，不過，却也可以證明柳氏這一系列考辨文字，並不單爲古籍眞僞而發的。我們應當說，柳宗元在寫這一系列文字時，腦筋裏恐怕存着兩股意念：一方面要以目錄學來「辨章學術，考鏡源流」，一方面要以古籍辨僞來「識古書之正僞」❺，而後者所佔的比重比較大些。如果這個說法成立的話，古籍辨僞學到了中唐柳宗元的手裏，寖寖乎恐怕有獨立成爲一門專科學問的形勢了。

一直要到明代的宋濂和胡應麟，古籍辨僞這幼嬰才呱呱誕生，古籍辨僞的名義才正式成立，爲學術界所公認，而後才正式成爲一門獨立的專科學問。宋濂完成了一卷的《諸子辨》，開章明義即說：

先王之世，道術咸出於一軌，此其人人殊何？各奮私知而或盭大道也。由或盭大道也，

> 其書雖亡，世復有依倣而託之者也。然則子將奈何？辭而辨之也。曷為辨之？解惑也。

胡應麟寫了三卷的《四部正譌》，《引語》說：

> 唐、宋以還，贋書代作，作者日傳。大方之家，第以揮之一笑，乃衒奇之夫往往驟揭而深信之。至或點聖經，廁賢撰，矯前哲，溺後流，厥係非眇淺也。余不敏，大為此懼，輒取其彰明較著者，抉誣摘僞，列為一編。後之君子欲考正百家，統宗六籍，庶幾嚆矢。

這兩段文字，清楚地宣布了古籍辨僞學的獨立性格，它不再如漢、唐及宋的學者，是目錄學、經學或注疏學的附庸。誠如梁任公所說的：「明初宋濂著《諸子辨》一卷，辨別四十部子書的眞僞。從前人往往在筆記文集或書目中帶說幾句辨僞的話，沒有專著一卷書來辨許多書的僞的，宋濂却和前人不同。我們可以說，專著一書以博辨群書的，宋濂是第一個。……晚明出了一位辨僞大師，叫做胡應麟，著了一部《四部正譌》。宋濂的《諸子辨》不過是文集裏的長篇文章，仍舊放在雜著之部，而且沒有博辨群書的眞僞，發明通用的方法，還不算專書。專著一書去辨別一切僞書，有原理有方法的，胡應麟著《四部正譌》是第一次。他所辨的書，固然不多；他所辨別的眞僞，固然不能完全靠得住；但經史子集四部的書，大都曾經過他的研究而可供後人的參考。❻」尤有進者，胡應麟在《四部正譌》卷上的卷首裏，還爲文討論僞書的二十種情形，他說：

> 凡贋書之作，情狀至繁，約而言之，殆十數種。有僞作於前代而世率知之者……。有僞作於近代而世反惑之者……。有掇古人之事而僞者……。有挾古人之文而僞者……。有傳古人之名而僞者……。有蹈古書之名而僞者……。有憚於自名而僞者……。有恥於自名而僞者……。有襲取於人而僞者……。有假重於人而僞者……。有惡其人，僞以禍之者……。有惡其人，僞以誣之者……。有本非僞，人託之而僞者……。有書本僞，人補之而益僞者……。又有僞而非僞者……。又有非僞而實僞者……。又有當時知其僞而後世弗傳者……。又有當時記其僞而後人弗悟者……。又有本無撰人，後人因近似而僞託者……。又有本有撰人，後人因亡逸而僞題者……。

把僞書作僞的情形，條析爲二十種，至爲精細，且影響後世至深。此外，他又在卷下的卷末裏，爲文暢論「僞書多怪字」「覈僞書之道」「四部書之僞者」以及眞僞程度的各種問題。很明顯的，胡應麟在《四部正譌》裏，已經爲我們指示出古籍辨僞的獨立性來——它有學術個性，有研究方法，也有專業理論，不再是依附在其他學科底下的一門零碎小學問。雖然他所提出的理論還不十分完整，所已知的方法還不十分嚴密，對於它的學術個性，也還沒搥鑄得十分突出，不過，在學術的洪流裏，他已昭示出一條康莊大道，足以讓這個初生嬰兒在未來的歲月裏馳騁了。

綜合上文所論，我們可以這麼說，古籍辨僞學雖然成胎於西漢，爲時相當早，不過，却要到明代才孕育成形，呱呱墜地，成爲一門獨立的專科學問。

任何一門學問，都應該有一個研究的範圍，作爲這門學問建立起自己的理論、方法和地位的基地。如果這個範圍不明確，那麼，它所建立起來的理論恐怕不夠精細，方法恐怕也不夠嚴密，而其地位恐怕也就不夠顯著了。因此，任何學問首先似乎都應該有一個研究的範圍，而且必須規劃得清朗和釐訂得明確，如此的話，它不但便於學者們的研究和探討，在整個學術王國裏，其學術個性及與其他學問的「科際關係」interdisciplined relationship 才能夠瞭解和認知。目錄學、校讎學、版本學、訓詁學、聲韻學及文字學等專科學問是如此，其他如文學史、詩詞曲、經學史及通史等範圍比較廣的學問，也莫不如此。

古籍辨僞既然不再是目錄學或其他學問的附庸，而是獨立的一門專科學問，那麼，我們進一步就要問，這門學問所研究的對象是甚麼？它以怎麼樣的邊界來作爲研究的範圍？

梁任公著有《古書眞僞及其年代》一書，是討論和總結這門學問的理論、方法、成績及價値的第一部專書。在這部書裏，梁任公沒有涉及研究範圍的問題；所謂「古籍辨僞學」，其研究對象和探討範圍看來似乎不煩贅言就你我皆知的樣子了。實際情形是不是如此呢？在梁任公之後的曹養吾，曾經寫了一篇《辨僞學史》[7]，開始的第一段就這麼說：

梁任公先生講古書之真僞及其年代，開頭便說：「……文化發達愈久，好古的心愈强，代遠年湮，自然有許多後人僞造古書以應當時的需要。這種情形，各國都有，尤其是在中國，造假的本領特別發達！……」的確，中國是有悠久的歷史的，亦可說文化發達頗早的；但是，同樣，我們中國人是特別好古的，特別會假造的。你看我們耳目所及的古書中，真能說是真書的到底有多少？嘸！真是所謂僞書充斥，黑白難分！你看無論那種學問，總有許多僞書——經有經的僞書，史有史的僞書，佛學有佛學的僞書，文學有文學的僞書；真是多極了！真是多極了！

很明顯的，曹氏這篇文章是想承繼梁任公之後，敍述古籍辨僞的發展史；然而，細讀曹氏這篇長達三十頁的文章後，就會發現曹氏簡直把古籍辨僞的範圍搞混了，使人懷疑他究竟是在敍述古史考辨的歷史呢？還是在敍述古籍辨僞的歷史？即如以《古史辨》飲譽士林的顧頡剛，他在編纂《古籍考辨叢刊》的當兒，也採錄了許多考辨古代歷史的文字，把考辨歷史和辨僞古籍兩回事混合在一塊兒。因此，爲了使這門學問符合科學規劃及科學研究的精神，清其範圍，釐訂其研究對象，自有其必要和迫切。

根據個人的管見，古籍辨僞學的研究範圍應該局限於下列三個層面：作者、成書時代及文字章節的附益。玆分論如次：

一、作者

作者的辨別，是古籍辨僞學的首要研究對象。解決了古籍的作者，不但解決了古籍和作者的關係，也解決了古籍和時代的關係。

梁任公在《古書眞僞及其年代》第二章裏，曾謂「有許多書，作者不僞」，而是「後人胡猜瞎派」，使到古籍和作者的關係一塲混亂；他把這類古籍叫做「全書誤題或妄題者」，並且細分爲四小類：

㈠因篇中有某人名而誤題；
㈡因書中多述某人行事或言論而得名；
㈢不得主名而臆推妄題；
㈣本有主名，不察而妄題❽。

這四小類，無一不涉及作者的問題。張心澂《僞書通考・總論》內，有一節「僞書之來歷」，其中若干條似乎也涉及這個問題：

㈠託古人之名；
㈡傳古人之名；
㈢竊取成作；
㈣無撰人而僞託；

㈤亡撰人而僞題；

㈥誤認撰人❾。

可見作者的探討，是古籍辨僞學最重要的研究主題了。

茲歸納二家的說法，並將梁、張所擧相應的例子附入，以見古籍辨僞學在討論古籍作者時，有下述兩類三項的作僞情形：

㈠古籍作者爲烏有先生

此類古籍不多見，如《素問》、《陰符經》及《鍼經》之題名黃帝作。

㈡古籍作者被假冒

這種情形可以分爲兩小類：

1. 原作者不著此書，後人冒其名以造書

如《山海經》稱夏禹所作。如《孟子》有伊尹負鼎以要湯之說，後人遂造《湯液》一書以爲伊尹作。甯戚有飯牛之事，遂有《相經》爲甯戚作。

2. 原作者著此書，後人竊之並冒以己名

如郭象竊向秀所注之《莊子》，點定之以爲己作。宋齊丘竊譚峭之《化書》序而傳之，何德盛竊郗紹之《晉中興書》。

上述兩類三項，是作者有意、無意被僞題的情形，它們都是古籍辨僞學所要研究的首要對象。

二、成書時代

羅根澤在《管子探源·敍目》裏說：「考年代與辯眞僞不同：辯眞僞，追求僞蹟，擯斥不使厠於學術界，義主破壞；考年代，稽考作書時期，以還學術史上之時代價值，義主建設。考年代，則眞僞亦因之而顯；辯眞僞，而年代或仍不得定。」羅氏所謂「辯眞僞」，指的是書本材料的眞僞，也可說是作者的眞僞；這段話，清楚地告訴我們，考辨作者及解決成書年代的關係了。古籍的作者解決了，那麼，成書時代自然也就解決；古籍的作者如果被推翻否決，而眞正的作者一時又無法考知，或者已考知而又說法迴異，那麼，根據這部書的內容及其他相關的資料來追探其成書時代，或者其相近的時代，似乎是古籍辨僞學的第二主題了。

劉向《上晏子序》說：

> 臣向所校中書《晏子》十一篇……其書六篇皆合六經之義，又有復重，文辭頗異，不復遺失，復列為一篇。又有頗不合經術，似非晏子言，疑後世辯士所為者，故亦不敢失，復以為一篇。

晏子春秋既有一部分非春秋時之晏嬰所自作，那麼，退而求其次，只好研究其成書時代了——「疑後世辯士所爲者」，可見在古籍辨僞學剛剛興起之際，古籍的成書時代就已經是研究的範圍了。

例如《左傳》這部書，《史記・十二諸侯年表・序》說是「魯君子左丘明」所作。唐朝的趙匡認爲，《論語》裏的左丘明和《左傳》作者的左丘明不是同一個人，前者是孔子的前輩，後者是孔子的後人；自此以後，《左傳》的作者不但老是被懷疑，而且甚至於被否決了。作者既被推翻和懷疑，那麼，《左傳》到底是成書於何時呢？宋以後就不斷有人提出新的看法，有的說成書於戰國，有的說成書於西漢初年，有的甚至於說是劉歆一手所私造的；說法非常多，也一直無法獲得圓滿解決。除非有新資料出現，否則的話，有關《左傳》的眞僞問題，大概只能討論至成書時代爲止了。

張心澂《僞書通考》論僞書之來歷時，曾說：

> 蹈古書之名——如汲冢所發之書有《師春》，此書亡，後人用其名而僞作。孟子謂楚史有《檮杌》，而後人卽用此名，以僞作楚史。

似此情形，應該屬於成書時代的問題。有關成書時代，應該可以析分爲下列四種情形：

㈠無作者

有些古籍的作者問題生來就是「無頭公案」，無法確指和考訂，遇到這種情形，就只好退而求其次，解決其成書時代，以應付學術上的需要。這種情形，爲例相當多，特別是時代遠古的舊籍。例如古文《尚書》二十五篇，其僞雖爲學術界所公認，不過，到底作於何時呢？就頗耐人探討了。崔述《古文尚書辨僞》卷一云：「此書乃南渡以後，晉宋之間，宗王肅者之所僞撰，以駁鄭義而伸肅說者耳。」他並且舉出一些證據來證明他的說法。再如《禮記・王制》的作者，傳統說法「孔子所制，弟子所記者」恐已是無稽之談，爲了澄清學術流傳及演變，其作成時代是有必要加以探討的，友人陳瑞庚撰《王制著成之時代及其制度與周禮之異同》，考訂此書之作成時代爲——「其著成必在《尚書大傳》之後，《尚書大傳》可爲《禮記・王制篇》著成時代之上限……著成時代之下限，當不晚於《禮記》成書之時，《禮記》成書約當漢宣帝年間，已爲公論」⑩。

㈡成書時代晚，而誤認爲時代早者

有些古籍的原題作者顯然是僞託，而其原作者却因爲資料不足而無法考知，像這種情形，只有根據書內及其他的資料來考訂其成書時代，以應學術之需。這種情形有兩類，一類是成書時代比原題作者時代晚，而歷來學者都誤會爲原題作者時代所完成的。例如《鬼谷子》三卷，新、舊《唐志》皆題蘇秦著，恐怕有些問題，胡應麟、姚際恆及梁任公等都認爲是部僞書，非蘇秦所作，趙鐵寒先生撰有《鬼谷子考辨》⑪，考訂今本一、二兩卷部分文字爲後人所竄亂，甚至於寫成於魏晉以後，比舊題的作者晚上好幾百年。又如《列子》這部書，舊題列禦寇所撰，這說法顯然很有問題，自柳宗元及高似孫以下，就已不信此說了。不少學者認爲它是魏晉時代的產品，作者不詳；這個說法如果可靠的話，就比原題作者晚上一段很遠的時間了。

(三)成書時代早，而誤認爲時代晚者

與前面的情形相反的，是原書作成時代早，或者原題作者時代早，而被後人誤會爲時代晚，或者作者時代晚的作品。例如《孫子兵法》，史記說是孫武作的，葉適在《習學記言》裏始啓疑竇，以爲是「春秋末戰國初山林處士所爲」；往後學者愈疑愈遠，或謂齊孫臏所作（如錢賓四先生），或謂「戰國人依託」（如梁任公）；今山東臨沂漢簡出土《孫子兵法》及《孫臏兵法》，始知此書當如《史記》所言，爲孫武所作，後人將它誤會爲時代晚的作品了。

(四)成書時代未詳者

有些古籍不但作者不詳，其成書時代也無法考知，或者無法定說者，都屬於這一類。例

如《關尹子》，舊題關尹所作；關尹是不是有其人，恐怕是很有問題，更不必說他寫了這部書。既非關尹所作，又是何人何時的作品呢？胡應麟說是晚唐人；宋濂及梁任公說是模仿釋氏及神仙方技者所爲，沒肯定其成書時代；余嘉錫據書內所引故實，考訂爲宋孝宗時代的作品；迄今尚無定論。

前面所敍述的，都是古籍原作者不詳，或者作者無法考知，而其作僞時代有不同情形的例子。看過這些種類，就瞭解古籍辨僞學在面對成書時代的研究時，會有許多不同的情形。

三、附益

古籍往往有附益的現象，有的在篇中書中，有的在篇末書末；其附益於篇末書末的，一部分原因恐怕和古代簡帛抄寫有關。顏之推云：「或問《山海經》夏禹及益所記，而有長沙、零陵、桂陽、諸暨如此郡縣不少，以爲何也？答曰：史之闕文，爲日久矣，加復秦人滅學，董卓焚書，典籍錯亂，非止於此。……仲尼修《春秋》，而經書孔子卒；《世本》左丘明所書，而有燕王喜、漢高祖……皆後人所羼，非本文也[12]。」在雕板印刷未興之前，學者於抄書畢，時取相類相近者抄附於所剩簡帛之後，此篇末書末附益之現象。顏氏所舉的例子雖然可商，但是，所云「後人所羼，非本文」，却是通達之論。

梁任公《古書眞僞及其年代》第二章有「部分誤編或附入」項，將古籍附益分爲五類：

㈠類書誤作專書；

㈡注解與正文同列，混入正文；

㈢獻書時，求增篇幅；

㈣後人續作；

㈤編輯的人無識貪多。

除首二類爲附益的情形之外，後三類恐怕是後人附益古籍的原委，與附益的種類無關。張心澂《僞書通考》有兩條：

掇古人之事——如《家語》有孔子遇程子傾蓋而語，《莊子》有子華子見韓昭僖侯，後人遂著《子華子》一書，謂程本撰。《史記》有老子出關，關尹喜强爲著書之事，後人遂造《關尹子》一書。

挾古人之文——如東漢人據伍子胥書，潤飾增補爲《越絕書》，如好事者取賈誼之《鵩賦》，雜以黃老刑名之言，以造《鶡冠子》。

張氏似乎分附益爲上述兩類。

綜合二家的說法，將文字附益的情形分爲兩類：誤編及附益。前者指全書的編纂僞託，後者指部分文字的附益。茲下列此二類，並附以梁任公的說明，以供參考：

㈠、誤 編

如《管子》全書，非一人一時所作，乃雜誌體，聚集若干篇法家言，並未標明何人所作；其中《弟子職》、《內業》等篇，與全書體例不符。範圍、文體，皆有出入，可見顯係雜抄之書無疑。若認爲一部類書，倒還可以；若認爲一種專書，那就錯了。因爲其中講管子的話很多，所以名之「管子」，實非管仲所作。

㈡、附 益

《莊子》一書，內篇是莊周所作，外篇乃後人注解莊周之書。抄書的人，抄了內篇，又把注解一併抄下，統名之爲「莊子」。但是內篇外篇，內容文體俱不相同，一見可以瞭然，絕不能認爲出自一人之手；如認內篇爲正文，則外篇雜篇必爲注解；如認外篇雜篇非注解，則外篇雜篇必爲後人所僞託，總之不是莊周所作的東西。一部之中，有注解附入正文處；一篇之中，亦有注解附入正文處。

研究古籍的眞僞，應該以上述三個層面爲對象和範圍；作者的辨明是首要工作，作者未能明，則討論該書的作成時代，至於文字章節的附益僞託，也是不可疏忽的一個要點。總而言之，古籍辨僞學就好像幾何學上的一個三角形一樣，一角是作者，一角是成書時代，另一角是附益，而它們都環繞着一個軸心——眞僞來循轉。

廓清了古籍辨僞學的研究範圍後，回頭細看，我們應該扔掉一塊殖民地，正名一塊託管區；這塊殖民地是「古籍所載古史的眞僞」，而託管區却是「古籍傳承系統」。二千多年來，這塊殖民地老是和古籍辨僞學糾纏在一起，形影不離，既混淆國界，也影響視聽，今天，我們必須壯膽將它扔掉，讓它自己去獨立。至於託管區，它只是古籍辨僞的方法之一，雖然與古籍辨僞學有關係，然而，它並非古籍辨僞學的全部，我們應該爲它正名，使它符合身份，以免產生誤會。茲分論如次：

一、古史辨僞

雖然顧頡剛說過：「有許多僞史是用僞書作基礎的，如《帝王世紀》、《通鑑外紀》、《路史》、《繹史》所錄；有許多僞書是用僞史作基礎的，如僞《古文尙書》、古《三墳書》、今本《竹書紀年》等。[13]」不過，古史辨僞和古籍辨僞實際上恐怕還是兩門不同的學問，前者不能夠概括後者的全部，而後者只是前者許多研究方法的一個而已。如果把前者錯認爲後者的話，未免就把原來屬於目錄學、校讎學的古籍辨僞，當作是古史研究的後裔子孫了。梁任公在論及辨僞學的發達時，曾這麽說：

司馬遷當漢武帝的時候，眼看見異說紛紜，古事淪沒，發憤著書，想「成一家之言，厥協六經異傳，整齊百家雜語」，當那種眞僞雜出的史料堆積在他面前，當然不能盡數收錄，當然不用存真去僞的工夫。他因為「百家言黃帝，其文不雅馴」，而以「不離古文者近是」；因為「世言蘇秦多異，異時事有類之者，皆附之蘇秦」，而「列其行事，次其時序」；因為「說者曰：『堯讓天下於許由，許由不受……』」，難以稱述，故「考信於六藝」……這種先拿一種可信的書籍做標準而以其他百家言為僞的方法，雖然免不了危險，但先秦諸子的許多僞說僞書，給他這麼一來，便不能延續生命了。我們可以說，作史學之始祖是司馬遷；辨僞學的始祖也是司馬遷。從他以後，漢朝學者對於書的真僞已有很明瞭的辨別眼光。

我們承認，古籍的眞僞可以影響到古史，研究古史有時必須依賴古籍眞僞的考訂，就好像太史公在撰述《史記》之前，必須把各種史料「考信於六藝」一樣，但是，我們不應該忘記，古史辨僞研究的範圍是歷史，古籍辨僞研究的却是古籍的作者及古籍的本身，而其價值及影響，更不局限於古史眞僞而已，舉凡目錄、思想、文藝思潮及學術演變等等，都莫不受古籍眞僞的牽連。

二、古籍傳承系統

古籍傳承系統的研究只是古籍眞僞許多研究方法中的一個而已，它不應該是古籍辨僞學的全部。曹養吾在他的《辨僞學史》裏，曾說：

當時加入戰線的主將及主題是：第一次是劉歆（古）與太常博士們（今）之爭立毛詩、古文尚書、逸禮、左氏春秋；第二次是韓歆、陳元（古）與范升（今）之爭立費氏易及左氏春秋；第三次是賈逵（古）與李育（今）；第四次是鄭玄（古）與何休（今）之爭論《公羊》及《春秋左氏傳》的優劣；鬧了多年，結果還是混淆糅合了事。因為這種爭論是不多見的史事，而與辨偽史有關，所以夾在此地。

把今古文對經書師傳的爭論，當作是古籍眞僞本身的問題，似乎有誤會古籍辨僞學的研究範圍。當然，根據經師們的意見，師傳有問題，古籍的眞僞就有問題，但是，我們應該記住，師傳是經學學統上的問題，而古籍眞僞却是書本成書時代的問題，兩者顯然是有所區別的。把學統當作古籍眞僞來看待，是扭曲了前者的討論重點而又縮小了後者的研究範圍。

❶《古書眞偽及其年代》，梁任公啓超著，臺北中華書局出版，一九六三年五月臺二版。引文在頁三十二內。

❷見《漢書．藝文志．論語類》。

❸同上，《儒家類》。

❹見《漢書．匡衡傳．注》。

❺ 此乃韓愈《答李翊書》語。

❻ 見梁著，頁三十五。

❼ 曹著在《古史辨》第二册內，頁三八八至頁四一六；曹文初稿完成於一九二六年十月，重鈔於次年十一月。

❽ 見梁著，頁二十五至頁二十七。

❾ 《偽書通考》，張心澂著，臺北明倫出版社影印，一九七〇年初版。引文見頁二及頁三（總論部分）。

❿ 《王制著成之時代及其制度與周禮之異同》，陳瑞庚著，嘉新文化基金會論文第二〇三種，引文見頁四十。本書為其碩士論文，由恩師屈翼鵬萬里教授指導。

⓫ 在《大陸雜誌·語文叢書》第一輯第二册內。

⓬ 見顏著《顏氏家訓·書證篇》。

⓭ 見《古史辨》第一册自序，頁四二。

附論·僞書產生的原因

論僞書者予最服膺章實齋。竊取其言，分爲七類，非可以僞書包也：

一曰「師說」。——聖人制作，守於官司；及周末文勝，軼爲百家。口耳之學不能無差，則著於竹帛以授之其人，所以求傳習之廣焉。是以義、農、黄帝之書雜出於戰國，連類於漢、魏。其後有卓越之人，爲衆宗仰，法度猶傳，筆札未錄，則知之者亦述之而仍其人。此正古人言公之旨，不必以誠僞規度者也。如《素問》、《本草》、《山海經》、《周髀算經》、《易傳》、《三禮》、《難經》、《星經》，雖有僞附，又不能定其著書之人，然終不當與虛造者等視。今《四庫》所著錄，諸家書目所臚列，醫藥、術數之書獨多依託，良由此等學說不憑書籍以傳耳。

二曰「後記」。——《管子》述死後事，《韓非》載李斯駁議：蓋古人書無私箸，大出後學綴輯，雖有不倫，無乖傳信。故《管子》、《晏子》，不可謂之僞書，猶《春秋公羊傳》成於高孫壽，《尚書大傳》錄於張生、歐陽生也。論其體例，與前類頗同。惟前在記學，學則雖遠無弗賅，縱法言多疏，師承非可悉求，亦以意聯貫爲之；此在記事，事則年代不能遙，言行不能虛構，所以異也。

三曰「挾持」。——或蹈偶覩之名，或襲散見之語。是故，因倚相而有《三墳》；因《老傳》而有《關尹》；賈生感賦，遂作《鶡冠》；《列子》夸言，因成《穆傳》：其附託巧而心日拙矣。章氏曰：「劉炫之《連山》，梅頤之《古文尚書》，應詔入獻，將以求祿利也。夫《墳》、《典》既亡，而作僞者之搜輯補苴未必無什一之存。如《古文》之搜輯《逸書》，散見於記傳者幾無遺漏。六朝古書不甚散亡，採輯之功必易爲力。計不出此，藉以作僞，豈不惜哉！」是故，薛據作僞，則亦王肅也；江聲作僞，則亦梅頤也。然而一存補逸之功，一有亂古之罪者，操術不可不慎也。——此僞託古昔者也。

四曰「假重」。——名賢之作，爲世寶貴；苟有一籍之傳，奚止十縑之價。故《小學》推晦庵，《政經》題西山，《杜解》歸子瞻，《潛虛》屬君實。——此僞託近世者也。

凡茲二類，胥實齋所謂奸利。「欺於朝則得祿位，欺於市足恣壟斷」：心術之蔽，有如是哉！

五曰「好事」。——蓋體同於擬作，心在乎炫奇。弄數十之愚人，戲千年之古子。脫略不羈，風流自賞。明豐坊、姚士粦輩，儻其人乎！又或心懷憤激，輒欲誣陷嫁禍，僧孺《行紀》、聖俞《碧雲騢》作焉。

六曰「攘奪」。——前此數類皆自作之而以僞人，此則竊人之言以爲己有，於諸書中品最下矣。章氏曰：「竊人之美，等於竊財之盜，老氏言之，斷斷如也。譚峭竊《化書》於齊丘，郭象竊《莊子》於向秀，作者有知，不能不恫心於竊之者，蓋穿窬胠篋之智必有竄易更張，以就其掩著而失其本旨也。不知言公之旨而欲自利以爲功，大道廢而心術不可問矣！」

予謂清代古籍大明，所不著者必已弗傳，而采輯諸書逸文，則有《玉函》五百餘種，《抱經》、《平津》、《問經》、《别下》、《心齋》、《魯山》百餘種，粲然畢陳，欲僞古者已無從措手，挾持好事之途庶幾可絕。獨攘奪則劇於前古，往往萬目昭昭而攫金者咸攘臂於市。舉國化之，恬不爲怪。其能竄易更張，蓋猶絕少。廉恥道喪，遂令王儉、阮逸宜尊美讓，悲哉！

七曰「誤會」。——本非僞書，後人迷不能辨，遂沿傳爲僞作。舉凡姚君所謂「有後人妄託其人之名者」，「有兩人共此一書名，今傳者不知爲何人作者」，「有未足定其著書之人者」，皆是也。

（錄自顧頡剛《古今僞書考跋》）

僞書是怎樣產生出來的呢？不外由於下面的幾種情形而來的：

一、用古人的姓名　例如《本草》說是神農做的，《陰符經》說是黃帝做的，《亢倉子》說是庚桑楚做的，這就成了僞書。

二、用古書的舊名　例如汲冢發掘的書有《師春》，這書亡了，後人仍舊用這名字做一部書。又孟子說過楚國的史書有《檮杌》，後人就做一部楚史叫做《楚檮杌》。

三、假借古人的事替他做一部書　例如《孟子》書上有人問孟子是否有「伊尹負鼎俎以要湯」的事，後人遂造出伊尹做的《湯液》一部書。古有甯戚飯牛的事，遂造出甯戚做的《相牛經》。

四、牽連古人的事僞造古書　例如《莊子》有子華子見韓昭僖侯的事，後人牽連到《家語》有「孔子遇程子傾蓋而語」的事，遂做《子華子》一書，說是程本撰的。又如《史記》有老子出關，關令尹喜強爲著書的事，本是老子著了《道德經》，但後人牽連的想到關尹也該會有著作，遂僞造《關尹子》一書。

五、利用古人的文以造古書　例如東漢人據《伍子胥書》潤飾增補爲《越絕書》，又如好事者取賈誼的《鵩賦》，雜以黃、老、刑、名的話，以造《鶡冠子》。

六、偸竊他人的作品　例如晉郭象竊向秀的《莊子注》，宋齊丘竊譚峭的《化書》，何法盛竊郗紹的《晉中興書》，當作自己做的。

七、本沒有撰人而僞託　相傳下的書本來沒有撰人，後人因爲這書和某人有點關係，就僞託是某人做的。例如《山海經》與禹治水有點關係，就說是禹做的。

八、撰人名亡失了而僞題撰人名　本來有撰人的，因爲撰人的名亡失了，後人遂僞題撰人名。例如《正訓》說是陸機做的。又有嫌於求譽，不著姓名，因而眞名不知，如《越絕書》之類，後人也可以僞題某人撰。

九、誤認撰人　例如《管子》、《晏子》等書，本不是管、晏本人做的，是他們的門人或後人輯成的。後人誤認是本人做的，因而發生辨僞的問題。又如明劉節的《廣文選》，以宋王微的《詠賦》誤作宋玉的《微詠賦》，成爲宋玉的僞品。

爲什麼要做僞書呢？某人做一部書，題上自己的眞實名姓，若這書做得好，得到人家的好評，豈不是著者的光榮嗎？做得不好，自己也就該負言論的責任，若經過人家的批評指摘，自己還活着的話，就可以從事改正，或是完全毀棄，以免自誤誤人，這豈不是很正當的事嗎？爲什麼有人偏不這樣做，而要去造僞書呢？那造僞書的原因，也不外乎如下面所列舉的各種情形：

一、借重古時有名的人，以增高自己一派的學術地位　在往時有信古好古的傾向，以爲古時有名的人說的話都是好的，做的事都是好的，都是值得信從的。儒家借重堯、舜，墨家借重禹，道家借重黃帝，醫家借重神農、黃帝，都是這一類的典型。所以《本草》說是神農做的，《素問》說是黃帝和岐伯的問答，《周髀算經》說是周公和商高的問答，《易》是伏羲畫《卦》，文王作《卦辭》、《爻辭》，孔子作《十翼》，《周禮》是周公做的等等。

二、借重有名的人，以增高書的價值　例如宋王銍撰《龍城錄》，而嫁名柳宗元，因此使讀者以爲柳氏做的一定很好而歡迎它。又如《杜詩故事》假名蘇軾撰，《可知編》假名楊愼撰，也是爲了增高書的價值，甚至於作爲書商賺錢的手段。

三、因爲恨某人，假造他做的書，以陷害他　例如唐代李德裕、牛僧孺二人彼此不和，德裕的門人韋瓘用僧孺的姓名僞造一部《周秦行紀》，以圖陷害僧孺。

四、因爲恨某人，假他人名做書來陷害他　例如宋魏泰假名張師正撰《志怪集》、《括異志》、《倦游錄》，以個人的喜怒誣衊以前的人；又假名梅聖俞作《碧雲騢》，以指摘在朝的人。

五、不敢題自己的眞名　例如上面所說魏泰所做的書，既是誣衊人的，就不敢用自己的姓名發表。又如作《補江總白猿傳》以罵歐陽詢的人，也不敢題自己的姓名，變了無名氏的作品。

六、不願題自己的眞名　例如唐和凝年少時做了《香奩集》，以後他做了大官，以爲做這種豔體的詩有失莊重，怕人家議論，所以題名韓偓做的。

七、爲爭勝　例如晉王肅爲求他所說的可以壓倒鄭玄，僞造《孔子家語》做他的根據。

八、因爲貪賞牟利　例如漢張霸僞造《尚書百兩篇》，劉炫僞造《連山》、《魯史》，晉梅頤僞造《古文尚書》，以求祿利。至於把原來的書改頭換面，東扯西扯，以成一部書出賣的，更是專爲牟利而僞造的。

九、因爲求名　例如晉郭象、宋齊丘、何法盛竊他人的作品，當作自己做的，是爲的求名。

十、因爲要發抒自己的才能　例如明豐坊會寫篆字，他就僞造《子貢詩傳》、《申培詩說》兩部書，用篆字寫出，附以楷書作音注。但他詩學本領太差，他的僞品是很容易被發現的。他是要這樣的發抒一下他的才能才痛快，正是古人所說的「技癢」。

十一、出於遊戲　例如《雜事秘辛》本是明楊愼一時高興的寫作，當作遊戲，不料這書居然傳到後世，有人誤信爲眞書眞事。

十三因爲好事 例如晉張湛僞造《列子》，並假造這書的事歷，不知他是什麼目的，只好說他是喜歡多事了。

（錄自張心澂《偽書通考·總論》〔新版〕）

第二章　意義及其學術地位

打從古籍辨僞學開始孕育，就和「求眞」脫不了關係。劉向《晏子春秋・叙錄》云：「又有頗不合經術，似非晏子言，疑後世辨士所僞者。」班固《漢志》諸子類《文子》九篇下云：「似依託者也。」所謂「後世所僞」、「似依託」，都是「眞」的反面義，和「眞」南轅北轍；舉此二例，即知古籍辨僞學在結胎之際，即是一門「求眞」的學問了。

一部書如果作者不眞實、作成時代被誤置或者內容眞僞滲雜，讀起來確實是令人覺得鄙陋難安，柳宗元在辨《鶡冠子》時，曾說：「余讀賈誼《鵩賦》，嘉其詞，而學者以爲盡出《鶡冠子》。余往來京師，求《鶡冠子》，無所見。至長沙始得其書，讀之，盡鄙淺言也。」柳宗元因爲嘉賞賈誼的《鵩賦》，進而想一讀其原書《鶡冠子》，無奈「往來京師，無所見」；數年後得於長沙，在欣喜萬分之下，如獲至寶地展讀一過，竟大失所望，「盡鄙淺言也」。柳宗元的經驗，千載以下的我們，也還感覺得到呢。朱熹曾這麼分析《子華子》，說：

> 以予觀之，其詞故為艱澀，而理實淺近；其體務為高古，而氣實輕浮；其理多取佛、

老、醫、卜之言；其語多用《左傳》、班、《史》中字；其粉飾塗澤，俯仰態度，但如近年後生，巧於模擬變撰者所為；不惟決非先秦古書，亦非百十年前文字也。

如果朱熹的分析靠得住的話，《子華子》簡直是部大雜燴的書——有佛、老、醫、卜之言，有《左傳》、班史之字，詞艱理淺，體高氣浮，既粉塗，又模擬；像這樣的一部書，讀起來豈止是「鄙陋」，簡直是「詰屈聱牙」，無法卒篇。

除了鄙陋難安的感覺，偽書還經常攪亂讀者既知的學術源流，使人產生一系列混雜的問題。例如《列子》一書，我們已有很好的注疏，對其思想內容，也有了相當詳盡精湛的介紹和分析，不過，最使人感到美中不足的是——到底誰是作者？成書於何時？那些篇章是晚出？卻一直沒法徹底解決。劉向《敘錄》說：「《穆王》、《湯問》二篇，迂誕恢詭，非君子之言也。」張湛《仲尼篇》「趙人公孫龍」下《注》云：「公子牟、公孫龍，似在列子後，而今稱之，恐後人所增益以廣書義。」整理者劉向及注解者張湛，即已懷疑其怪誕和增益。宋、明以降，疑者日衆。晚近馬敘倫更撰《列子偽書考》❶一文，標舉二十事，力證此書之晚出，其結論云：

由此言之，世傳《列子》書八篇，非《漢志》著錄之舊，較然可知。況其文不出前書者，率不以周秦人詞氣，頗綴裂不條貫。……魏晉以來，好事之徒，聚斂《管子》、

《晏子》、《論語》、《山海經》、《墨子》、《莊子》、尸佼、韓非、《呂氏春秋》、《韓詩外傳》、《淮南》、《說苑》、《新序》、《新論》之言，附益晚說，成此八篇，假為向敘以見重也。

《列子》之爲魏晉僞書，看來似乎已成定案了。

認定《列子》非僞書的，却也頗有人在。柳宗元《辨列子》說：「其文辭類《莊子》，而尤質厚，少僞作，好文者可廢邪？」就是最早的一位了。晚近劉汝霖撰《周秦諸子考》，云：「此書雖非魏晉人僞造，卻亦非先秦作品……斷定此書爲漢時作品。《藝文志》已著錄，則至晚爲西漢晚年作品。」嚴靈峯撰《列子新書辨惑》，又說：「現存之《列子》書，乃劉向著之《列子新書》之殘缺、雜亂者，復經張湛輯其散亡，並爲之注。其書原爲列子門人與私淑弟子所記述論纂，則無可置疑；非後人所能僞託者也。❷」或認爲西漢末年之作品，或判定爲先秦之書，與前說持相反的見解。

面對這樣的問題，作爲一名初學者或是研究者，往往不知該何所適從；到底要將它歸入先秦去？還是漢代？或者竟是魏晉？也許《列子》並不全眞，也並不全僞，而眞僞之間又要如何分辨呢？我們經已整理歸納出《列子》的思想中，所依據的材料有多少是可靠的？有多少竟是後人僞造的？像這些由眞僞而產生的一系列複雜紊亂的問題，又豈是「鄙陋難安」及「詰屈聱牙」而已呢？

胡應麟說過：「六籍既焚，衆言淆亂；懸疣附贅，假託實繁。……黜聖經，廁賢撰，矯前哲，溺後流，厥係非眇淺也。❸」僞託古籍既然泛濫到「黜聖經，廁賢撰，矯前哲，溺後流」的嚴重地步，如果不能夠竭盡所能加以辨明，並且眞僞各作適當的安排及處理的話，經由此而建立起來的學問，豈不是靠不住嗎？因此，古籍辨僞學在考訂及辨別資料方面着力於追求「眞」字，意義非常重大——該書原作者的辨認、該書作成時代的考訂以及章節增損的分析，都離不開一個「眞」字。可以這麼說，古籍辨僞學的意義只在——求眞。宋濂《諸子辨》卷首語說：「然則子將奈何？辭而辨之也。曷爲辨之？解惑也。」所謂「解惑」，它另一個說法就是「求眞」。惟有材料眞實，惟有成書時代肯定，惟有原著及附益分明，經由此而建立起來的學問，才會可靠及準確。

這裏，姑且舉《孫子兵法》一書爲列，來說明先賢治學之際，如何在考訂古籍眞僞這方面追求「眞」字。

《史記・孫子列傳》載吳王闔閭對孫武說：「子之十三篇，吾盡觀之矣。」可見《孫子》原本爲十三篇，吳王闔閭是第一位見證人。西漢末年，情形就大不相同，劉向看到的是三卷本❹，班固《藝文志》說是八十二篇，份量似乎大爲增加。很明顯的，除原有十三篇外，後人僞託附益，擴而充之，成爲三卷本及八十二篇本。曹操注解此書時說：「文煩富，行於世者，失其旨要，故撰爲略解焉。」所看到的，大概就是附益本。張守節《史記・正義》說：「十三篇爲上卷，又有中、下二卷。」似乎還看到附益本。今天我們所能看到的，是曹操

「創其繁剩」後所剩下來的十三篇，其他中、下二卷，早已亡佚了。

按理來說，今本《孫子》應該是孫武的原著，也即是闔閭所見的那十三篇；然而，因爲漢代出現過三卷及八十二篇本，後來曹操又說他曾經「創其繁剩」，到底今傳十三篇是孫武的原著呢？還是曹操動過手術後眞僞相滲？而僞託的那部分又是誰呢？這一系列問題，就一直成爲先賢反覆追索的目標。

宋明二朝，有兩派的說法。陳振孫說：「孫武事吳闔閭，事不見於《春秋傳》，未知其果何人也。❺」對本書作者之有無表示懷疑；葉適說：「春秋末、戰國初山林處士所爲。❻」肯定成書於春秋戰國交會之際。另一派持相反意見，宋濂以「二百四十二年之間，大國若秦楚，小國若越燕，其行事不見於經傳者有矣，何獨武哉❼」爲理由，反駁了陳振孫；胡應麟則以《史記》十三篇與今本十三篇「其數正合」，而肯定其書非僞。到了清代，有關《孫子》的眞僞，依然分成二派，壁壘森嚴。肯定非僞書的，有《四庫全書提要》及孫星衍❽；否定的却頗能發掘新證據，來支持他們的看法。姚際恆說：

> 史遷稱《孫子》十三篇，而《漢志》有八十二篇。後應少於前，何以反多於前乎？杜牧注所傳者十三篇，後少於前矣，然何以又適符於前之數耶？杜牧謂武書數十萬言，魏武削其繁剩，筆其精粹，以成此書，然則仍是《漢志》之八十二篇，而非遷傳之十三篇矣。故曰：可疑也。

即根據傳承篇數之不同來立論。姚鼐說：

春秋大國用兵不過數百乘，未有興師十萬者也，況在闔閭乎？田齊、三晉既立為侯，臣乃稱君為「主」；「主」在春秋時，大夫稱也。是書所言，皆戰國事耳。

比較《孫子》所言制度與春秋時代的不相同，來證明其爲僞託無疑。二姚都能提出新證據來支持自己的看法，使前一派漸趨下風；特別是姚鼐，開創了近人重估《孫子》眞僞的新門徑、新方法，影響相當大。

踏入民國，學者們對《孫子》眞僞的追索，更是反覆論辯，窮覈深估，希望一得眞相。例如金德建著《孫子十三篇作於孫臏考》、錢賓四先生著《孫子考》、齊思和著《孫子著作時代考》，又如日人齋藤拙堂著《孫子辨》、武內義雄著《孫子十三篇之作者》，都莫不追本溯源，期建奇功。除了齊思和「戰國中、後期之著作，似可確定」外，其他諸家都判定作者爲戰國之孫臏，而不是春秋之孫武。

從上文的敍述中，就可以瞭解歷來學者在研治此書時，殫精竭慮，費神耗思，而其目的却只有一個——追探本書的眞正作者，追探本書的眞正作成時代。

求眞，是任何學問追求的目標之一，而古籍辨僞學打從它託胎以來，就一直以此爲目標。因此，古籍辨僞學如果有其學術上的意義的話，則只在「求眞」一事上；而一切學問之安然紮實地建立起來，也正是奠基在這個「眞」字之上。上舉《列子》及《孫子》二例，反覆說明即知古籍辨僞學存在的意義了。閻若璩《尙書古文疏證》第十七條說：「或問曰：『子於《尙書》之學，信漢而疑晉疑唐猶之可也，乃信史信傳而疑經，其可乎哉？』余曰：『何經何史何傳，亦惟其眞者而已。經眞而史傳僞，則據經以正史傳可也；史傳眞而經僞，猶不據史傳以正經乎？』」這種求眞的態度，正是古籍辨僞學精神之所在。

古籍辨僞學在學術上的意義既然是在「求眞」二字，則其爲研治一切文史哲的入門基礎學問，是不言而喻的。姚際恆說：「學者於此，眞僞莫辨，而尙可謂之讀書乎？是必取而明辨之，此讀書第一義也。」所謂「第一義」，即基礎學問的意思；姚氏這幾句話，簡單扼要，甚可以道出古籍辨僞學的重要性。梁任公《古書眞僞及其年代》第一章的章首，把姚氏的意思說得更詳細；他說：

因為有許多僞書，足令從事研究的人擾亂迷惑，許多好古深思之士，往往為僞書所誤。研究的基礎先不穩固，往後的推論結論，更不用說了。卽如研究歷史，當然憑藉事實，考求它的原因結果；假如根本沒有這回事實，考求的功夫，豈非枉用？或者事實是有的，而真相則不然，考求的工夫亦屬枉用。幾千年來，許多學問都在模糊影響之中，不能得忠實的科學根據，固然旁的另有關係，而為僞書所誤，實為最大原因。

梁氏「研究的基礎不穩固，往後的推論結論，更不用說了」云云，很能道出古籍辨僞學的重要性。梁氏並且從反面擧例，說明不辨別古籍眞僞所產生的不良後果，共有三大類十小項：

一、史蹟方面

㈠進化系統紊亂

㈡社會背景混淆

㈢事實是非倒置

㈣由事實影響於道德及政治

二、思想方面

㈠時代思想紊亂

㈡學術源流混淆

㈢個人主張矛盾

㈣學者枉費精神

三、文學方面

㈠時代思想紊亂，進化源流混淆

㈡個人價值矛盾，學者枉費精神每項之下，他都舉了些例子，反覆說明，再三論證，實在詳盡得很。雖然各個項目的含義規劃得並不十分整齊，項目彼此重複的地方也不少；不過，披覽任公此文，古籍辨僞學在學術上的重要地位，似乎可以毅然決然地肯定了。

本文擬從正面的角度，根據下列所擧出的四個層面，分別列擧二例，來說明古籍辨僞學的學術地位，以明其爲「讀書第一義」及「研究的基礎」。

第一、爲着整理史料

中國史料文獻浩如烟海，其中不乏眞僞莫分者，在整理之前，必須愼爲明辨，務使眞者被採用，僞者另作處理，才能建立起謹嚴的學問。劉向《晏子春秋・敍錄》說：「……定著八篇，二百一十五章。其書六篇，皆合六經之義；又有復重，文辭頗異，不復遺失，復列爲一篇。又有頗不合經術，似非晏子言，疑後世辯士所爲者，故亦不敢失，復以爲一篇。」劉向把二百一十五章的《晏子》，分爲八篇；一部分「合六經之義」的，歸爲前六篇；一部分「文辭頗異」「又有復重」的，歸爲另一篇；最後，把「疑後世辯士所爲」「似非晏子言」的，歸爲另一篇；據此，劉向已昭示後人，整理之前的眞僞明辨，不但是必需，而且是整理者當然的一部分工作。

茲以《全唐詩》及《全唐文》爲例，來說明古籍眞僞的辨別，對於古籍整理的重要性。

成書於清康熙年間的《全唐詩》，在杜牧名義之下，竟羅列了五十五首與《許渾集》⑨重出的詩作，是《全唐詩》的編者從《許渾集》採擷進去的嗎？這是不可能的事。然則，又是從何而來呢？何以《全唐詩》的編者有此錯誤呢？

杜牧有《樊川文集》，卷首裴延翰《序》云：「得詩、賦、傳、錄、論、辯、碑、志、序、記、書、啓、表、制，離爲二十編，合爲四百五十首，題曰樊川文集。」裴延翰爲杜牧的外甥，所編文集，自屬可靠。《新唐書·藝文志》著錄《樊川文集》二十卷，《宋史·藝文志》著錄《杜牧集》二十卷，即裴氏此編。然而，宋以後又有《樊川外集》、《樊川別集》、《樊川詩補遺》、《樊川集遺收詩補錄》等的出現，各一卷，共得詩二百五十餘首。這四卷詩集，恐怕是後來好事者廣搜旁採，彙集而成者；其中固然保存了一些杜牧的詩作，却也滲進了許多他人的作品，包括與許渾、趙嘏、張祜、薛能、劉得仁、李商隱、王建及李白等人重出的詩作，有六十餘首之多，眞僞相訛的嚴重程度，於此可見了。

從《樊川文集》到《樊川集遺收詩補錄》，與許渾詩重出的，總計只有八首；然則，《全唐詩》五十五首杜牧及許渾重出的詩作，究竟來自何處呢？宋劉克莊《後村詩話》說：

杜牧、許渾同時，然詩各自為體。牧在唐詩中常寓拗峭以矯時弊，渾則不然。如「荊樹有花兄弟樂，橘林無實子孫忙」之類，律切麗密或過牧，而抑揚頓挫不及也，二人詩不著姓名亦可辨。樊川有《續別集》三卷，十之八九皆渾詩。牧佳句自多，不必又取他人

> 詩益之。若丁卯集割去許多傑作，則渾言無一篇可傳矣。牧仕宦不至南海，乃存南海府罷之作，甚可笑。

根據劉克莊的說法，除前述五種之外，後人還編了《樊川續別集》，成爲杜牧的第六種詩集。劉克莊謂「十之八九皆渾詩」，可知這第六種詩集，大部分都是和許渾重出的詩作。《全唐詩》的編者事前沒作眞僞的考辨，竟大量採用，列爲杜牧的詩作，上了《續別集》的當。如果他們在編修整理之前，採用古籍辨僞學的方法，把這些詩作考察一下，恐怕就不會發生錯誤了。

再以編纂於嘉慶年間的《全唐文》來說，此書於開館編纂之際，即已注意到文章眞僞及作者辨正等各種問題。例如楊炯的《彭城公夫人爾朱氏墓志》及《伯母李氏墓志》，過去曾經被編入庾信的文集中，此次加以刋正，列入楊炯名下。又如《邕州馬退出茅亭記》，既見於柳宗元文集，又見於獨孤及的文集；盧坦之《楊烈婦二傳》，既見於李翺的文集，又見於李華文集；此次《全唐文》的編修，都一一訂正，歸於一是。整理史料之前，必須作眞僞是非的辨別；《全唐文》的編修者，似乎知道此事之重要性了。

當然，史料眞僞的辨別並不是一件易事。人材集中、資料完整的「全唐文館」，縱使瞭解古籍辨僞對於古籍編修整理的重要，偶而也會有疏忽的地方。例如卷三五七高適名下有《皇甫冉集序》一文，就是一個考辨上的疏忽了。皇甫冉逝世於大曆四、五年之間（公元七六九——七七〇），高適卒於永泰元年（七六五），比皇甫冉早了五、六年；然則高適如何會爲皇甫冉的集子寫序呢？顯然的，這其中一定有錯誤；而《全唐文》的編修者未能明考二人卒年的先後，才有此誤。實際上，《皇甫冉集序》的作者是唐人選唐詩之一的《中興間氣集》的選修者高仲武⑩。高仲武編成《中興間氣集》後，即爲皇甫冉寫了篇評語。只因爲高適另有一字「仲武」，與高仲武名字相同，後人卒將高仲武的評語歸爲高適所有，又加其篇題爲《皇甫冉集序》。旣張冠李戴，又妄加篇名；作者僞，篇名附加，訛誤情況相當嚴重。

上述二例即已告訴我們，在編修整理史料之前，史料本身眞僞的辨別，是一件不可輕易忽視的工作。如果能夠採用古籍辨僞學的方法，使眞者採用、僞者另行處理，那麼，學術才有進步成長的一天。

第二、爲着敘述史實

史實必須建立在可以信賴的史料之上，這是人人皆知的事。司馬遷說：「夫學者載籍極博，猶考信於六藝。」以司馬遷之博洽多聞，尙且必須覈證史料，然則史實與史料的密切關係，就可以不言而喻了。中國是個史料非常豐富的國家，特別是唐宋以後，史料之積藏，多得汗牛充棟，幾乎是世界之冠；然而，這些史料在運用之前，最起碼的考辨工作一定要有，否則的話，僞書和眞著滲雜運用，就會影響史實的可靠性，而流爲別史、野史的著作了。

玆以淮南王劉安謀叛及蘇秦、張儀游說六國二事爲例，說明古籍辨僞學如何影響古史的編纂和敍述。

《史記》有《淮南衡山列傳》，詳載淮南王劉安的生平及其業績，也詳述了他後來謀叛不成憤然自殺的事。在諸多「爲畔逆事」裏，有這麼一件：

建元二年，淮南王入朝，素善武安侯，武安侯時為太尉，乃逆王霸上，與王語曰：「方今上無太子，大王親高皇帝孫，行仁義，天下莫不聞；即宮車一日晏駕，非大王當誰立者？」淮南王大喜，厚遺武安侯金財物；陰結賓客，拊循百姓，為畔逆事。

此事表面上看來似乎無隙可擊，然而，仔細推敲研究，却又疑竇叢生。建元二年，武帝正是十七歲，正當年輕有爲之際，如何說「方今上無太子」呢？又如何說「宮車一日晏駕」呢？劉安怎麼就聽信武安侯的話而給他金幣財物呢？司馬遷這段文字，恐怕根據了不可信賴的材料。試看《史記。武安侯列傳》這段文字：

武安侯雖不任職，以王太后親幸，數言事多效。天下吏士趨勢利者，皆去魏其歸武安，武安日益橫。建元六年……武安侯蚡為丞相……天下士、郡諸侯愈益附武安。

在贊語裏，司馬遷又說：「武安負貴而好權……衆庶不載，竟被惡言。嗚呼哀哉，禍所從來矣。」武安侯一生富貴，甚得王太后等的親信，就憑這一點，他玩弄權力，蒙上欺下，專橫跋扈，死後還揹了許多「惡言」，怪不得司馬遷爲他嘆惜。如此的話，前面那段文字，恐怕就是旁人加給武安侯的「惡言」，使他也揹上「與淮南王同謀」的罪名。司馬遷事前未能考辨這些僞託的「惡言」，將它採入列傳，也許冤枉了劉安。

此外，《史記．淮南列傳》記載伍被與淮南王劉安共謀叛變的事情非常多，文字也非常長；我們細分爲六小段，略錄如下：

1. 王日夜與伍被、左吳等，案輿地圖，部署兵所從之；王曰：「上無太子，宮車卽晏駕……萬世之後，吾寧能北面臣事豎子乎？」

2. 王坐東宮，召伍被與謀曰：「將軍上。」被悵然曰：「上寬赦大王，王復安得此亡國之語乎？……」王怒，繫伍被父母，囚之三月。

3. 復召曰：「將軍許寡人乎？」被曰：「不直來為大王畫耳……亦竊悲大王棄千乘之君，必且賜絕命之書，為群臣先死於東宮也。」於是，王氣怨結而不揚，涕滿匡而橫流；卽起，歷階而去。

4. 問伍被曰：「漢廷治亂。」伍被曰：「天下治。」王意不說，謂伍被曰：「公何以言天下治也？」被曰：「……」王怒，被謝死罪。

5. 王又謂被曰：「……公以為大將軍何如人也？」被曰：「……未易當也。」……王默然。

6.乃復問被曰：「公以為吳興兵，是邪非也？」被曰：「以為非也……臣見其禍，未見其福也。」

此段文字，佔《史記·淮南列傳》約三分之二的篇幅；伍被不過劉安的一名賓客，何以有關其事蹟，竟佔淮南列傳如此大的篇幅？此六段文字，都有一共同點：伍被處處都站在漢室的立場，反對劉安謀叛；為了規諫劉安，犧牲父母也在所不惜！伍被行動上參與謀叛，言論上却反對謀叛，不是一件很奇怪的事嗎？《史記。淮南列傳》又說：「伍被自詣史，因告與淮南王謀反，反蹤跡具如此。」原來事發之前，伍被逃往長安，上書自明，將謀叛經過上書武帝；這六段文字，即是伍被僞造的「蹤跡」，《史記》說：「天子以伍被雅辭，多引漢之美，欲勿誅。」即是明證。司馬遷未能深考伍被「蹤跡」的眞僞，在記述淮南王劉安謀叛的史實時，全部採入，至為可惜。班固撰《漢書》，又將《史記》這段文字獨立成篇，題為《伍被傳》；加深了這件史實的錯誤。

《史記》有《蘇秦》及《張儀列傳》，詳述蘇張二人一生事跡；這兩篇列傳的材料，除小部分另有根據外，大部分恐怕來自《戰國策》。試讀下列附表：

《史記》蘇張列傳	《戰國策》
蘇秦乃西至秦，說惠王	秦策
說燕文侯	燕策
說趙肅侯	趙策
說韓惠宣王	韓策
說魏襄王	魏策
說齊宣王	齊策
說楚威王	楚策
張儀說秦王	秦策
復說魏王	魏策
說楚王	楚策
說韓王	韓策
說齊湣王	齊策
說趙王	趙策
說燕昭王	燕策

上列蘇張游說七國文字，幾乎佔了兩列傳的絕大部分篇幅；然則《蘇張列傳》與《戰國策》

的關係，即可概見了。《戰國策》這十四則文字是否可靠？是後人僞託蘇張之名而編造的，還是蘇張二人確有此段史實？錢賓四先生《先秦諸子繫年攷辨》有《蘇秦攷》，云：「《史記・秦傳》載秦說七國辭，皆本國策，其辭皆出後人飾托，非實況。……其造說之益奇益怪，而益遠於情實，亦可以微窺其爲說之先後也。」不但不相信蘇秦游說七國文字爲史實，連張儀連衡也疑其僞造。如果錢先生的說法可靠的話，那麼，《戰國策》這十四章恐怕是後人僞託編造的，藉以誇張縱橫家的功業，而司馬遷事先未能明考其眞僞，採以入傳，卒影響蘇張二傳的價值。楊寬《馬王堆帛書戰國策的史料價值》說：「《史記・蘇秦傳》所輯錄的，幾乎全是後人杜撰的長篇游說辭……太史公誤信這些游說辭爲眞……。」也持此看法。

如果司馬遷在敍述淮南王、蘇張事蹟之前，對材料加以考辨，認清何者爲僞託編造，何者爲眞實歷史，然後才採入正史，則不會有史料與史實相繆的毛病產生。從這裏，即知古籍辨僞學如何影響了古史的撰述了。

第三、爲着闡明學術源流

古籍眞僞和學術源流有着更密切的關係；如果某部書是僞託的，或者是成書年代不正確的，那麼，它在學術源流裏就有着不同、不明確的地位。劉向在整理故籍、班固在《漢志》「考鏡源流」時，所以非常重視古籍眞僞的問題，道理即此。

茲以《老子》及《大學》、《中庸》爲例，來說明成書時代對學術史的闡述的影響，以證明古籍眞僞和學術源流的密切關係。

《老子》其人及其書，是近數十年來學術界爭論不休的老問題；到底《老子》書成於孔子之前？或者孔子之後？其作者是春秋時人？或戰國時人？這些問題，不但涉及古籍辨僞本身，也深深地影響了古代哲學思想的問題，成爲學術史研究者「必爭」「必決」的大問題。

根據傳統的說法，老聃爲孔子的前輩，其書在孔子之前，所以，一般的哲學史家都先述老子思想，再述孔子及儒家學派。試讀胡適《中國古代哲學史》篇章的排列法：

第二篇：中國哲學發生的時代

第三篇：老子

第四篇：孔子

第五篇：孔門弟子

「老子」緊跟在「中國哲學發生的時代」之後，又在「孔子」「孔門弟子」之前，即意味着老子其人長於孔子，其書成於春秋之世。

馮友蘭是篤信老子成書於戰國時代的一位學者，他曾經說過：

> 今以為《老子》係戰國時人所作，關於此說之證據，前人已詳舉，茲不贅述。就本書中所述關於上古時代學術界之大概情形觀之，亦可見《老子》為戰國時之作品。蓋一則孔子以前，無私人著述之事，故《老子》不能早於《論語》。二則《老子》之文體，非問答體，

> 故應在《論語》、《孟子》之後。三則《老子》之文，為簡明之「經」體，可見其為戰國時之作品。此三端及前人所已舉之證據，若只任舉其一，則不免有違邏輯上所謂「丐詞」之嫌。但合而觀之，則《老子》之文體、學說，及各方面之旁證，皆指明其為戰國時之作品，此則必非偶然矣[11]。

《老子》書既在孔子後戰國之時，那麼，在闡述先秦學術思想源流之際，就不得不另作安排了。試看他在《中國哲學史》裏的安排：

第三章：孔子以前及其同時之宗教的哲學的思想
第四章：孔子及儒家之初起
第五章：墨子及前期墨家
第六章：孟子及儒家中之孟學
第七章：戰國時之「百家之學」
第八章：老子及道家中之老學
第九章：惠施、公孫龍及其他辯者

這樣的安排，和傳統的有多麼大的不同。成書時代對於學術源流影響之深，於此可見了。

再如《禮記．大學》及《中庸》兩篇，前者朱熹認為「蓋孔子之言，而曾子述之」，以為成於曾子之手，王柏以為是子思所作；後者司馬遷在《孔子世家》謂「子思作《中庸》」，為孔子的孫子子思所作。胡適似乎相信此說，他說：

《大學》一書，不知何人所作。書中有「曾子曰」三字，後人遂以為是曾子和曾子門人同作的，這話固不可信。但是這部書在《禮記》內比了那些《仲尼燕居》、《孔子閒居》諸編，似乎可靠。……大概《大學》和《中庸》兩部書都是《孟子》、《荀子》之前的儒書。我這句話，並無他種證據，只是細看儒家學說的趨勢，似乎《孟子》、《荀子》之前總該有幾部這樣的書，才可使學說變遷有線索可尋。不然，那極端倫常主義的儒家，何以忽然發生一個尊崇個人的《孟子》？……若《大學》、《中庸》這兩部書是《孟子》、《荀子》以前的書，這些疑問便都容易解決了。所以，我以為這兩部書大概是前四紀的書，但其中也不能全無後人加入的材料。

胡適篤信《大學》及《中庸》成書於孟荀之前，所以，他的《中國上古哲學史》的安排是：

第十篇：荀子以前的儒家

第一章：《大學》與《中庸》

第二章：孟子

第十一篇：荀子

第十二篇：古代哲學之終局

第一章：西曆前三世紀之思潮

第二章：所謂法家

第三章：古代哲學之中絕

馮友蘭的看法和胡適不同，試看他《中國哲學史》內的安排：

第十二章：荀子及儒家中之荀學

第十三章：韓非及其他法家

第十四章：秦漢之際之儒家

(1)關於禮之普通理論

……………

(7)《大學》

(8)《中庸》

(9)《禮運》

第十五章：《易傳》及《淮南鴻烈》中之宇宙論

前者把《大學》及《中庸》安排在孟荀之前，後者把它們安排在秦漢之間；把玩此中之不同，即知他們對二書作成時代的看法有差異，因此，在闡述學術源流時才有這麼巨大的差別。

上述二例告訴我們，在闡述學術史之際，古籍辨僞學佔有很重要的地位；它影響了學派的分合，也影響了學術的演變和發展。

第四、爲着評鑑學術價值

如果古籍的作者明確、成書時代肯定、附益篇章可以認知，那麼，該古籍的學術價值始可以評鑑。沒有疑問的古籍，固然有其價值；偽託的古籍，只要成書時代、附益篇章明辨清楚，它們也有其應有之學術價值。因此，爲着鑑審古籍的學術地位，對其眞偽作深入的考察，是一件很重要的工作。

茲舉《尉繚子》及《戰國策》二書爲例，以明古籍辨偽學在評估古籍學術價值方面的重要性。

兵家有《尉繚子》一種，宋元豐年間，朝廷將它與《孫子》、《吳子》及《司馬法》等合刻，編成《武經七書》；可見此書在當時是備受重視，有其相當的學術地位，不可以「偽託」斥之。

陳振孫以後，此書即開始受懷疑，而且成爲衆人「痛恨」的一部書，恨不得焚之而後快。姚鼐譏其雜湊，「不能論兵形勢，反雜商鞅刑名之說，蓋後人雜取苟以成書而已」⓬；姚際恆斥其教人爛殺士卒，不足垂範，「教人以殺，垂之於書，尤堪痛恨，必焚其書然後可也」⓭；晁公武及錢賓四先生譏其開首即模仿孟子見梁惠王之問答；總而言之，這是一部沒有學術價值的偽書。

在這眞、僞不同的見解之下，我們要如何來評估此書的價值呢？今天，當我們打開此書時，就會發現錯字、倒文及奪句等現象，幾乎隨處都是，無法卒讀。造成這種情形的原因，絕大部分是受了「沒學術價值」這見解的影響，恨不得棄之而後快。如果說它是尉繚親撰的，那麼，其價值或不在《孫子》之下，如果是後人僞託的，我們也應當去注解它、整理它，甚至研究其成書的正確年代，而給與另一種評價。

根據晚近學者們的研究，今傳《尉繚子》應該是一部可靠的書，證據如下：

㈠此書在講道理、獻教令的過程中，從第一篇到最末篇，不斷有「聽臣言，其術……」、「聽臣之術，足使……」、「聽臣之言，行臣之術」，以及「臣聞」、「臣謂」、「臣以爲」、「明擧上達，在王垂聽也」等，保留了尉繚向梁惠王獻說時的身份語句。

㈡此書所引證的歷史人物、歷史事件，有很鮮明的時代特色。所引證的歷史人物有黃帝、堯、舜、文王、武王、太公望、紂王、飛廉、惡來、齊桓公、公子心、孫武、吳起，而以引證至戰國前期之吳起爲止。就引證歷史人物而言，以提及吳起的次數最多；就引證歷史事件而言，以引證吳起以法治軍，與士卒同甘苦爲最多次、最詳細。

㈢書中所反映出來的，是一位不懂得任地、制民的富國強兵之道的國君，甚至於把上距他最近的吳起的治軍作戰經驗也忘得一乾二淨；像這樣的一位國君，應該不會是秦始皇。

㈣此書經常提及「世將」一辭，如《制談篇》：「此資敵而傷我甚焉，世將不能禁。……則逃傷甚焉，世將不能禁。……有此數者內自敗也，世將不能禁。……大衆亦走，世將不能禁。」《守權篇》、《武議篇》及《勒卒令篇》等，皆有此一辭。「世將」，即世襲的將領。此書不斷對「世將」提出批評，正是反映士人向貴族爭奪政權的戰國初年的時代背景；如果說此書作成於秦始皇時代，則不會有此種言論了。

然則此書作成於戰國魏襄王時代，當無問題。如果我們沒法辨認《尉繚子》的成書時代，就沒法還它應有的學術地位了；這例子告訴我們，通過古籍辨僞學，我們可以重估古籍的價值。

再以《戰國策》來說，此書《漢書．藝文志》列入春秋類，認爲它和《春秋》有同等價值的史書；司馬遷遠在西漢撰著《史記》時，有關戰國歷史那一部分，大都以《戰國策》爲基礎；其爲可靠的史料，殆無疑義。然而，此書是否可完全視爲可靠的史料，實有重新評估的需要；試讀下列一章⓮：

《齊策》三：

楚王死，太子在齊質，蘇秦謂薛公曰：「君何不留楚太子以市其下東國？」薛公曰：「不可。我留太子，郢中立王；然則是我抱空質而行不義於天下也。」蘇秦曰：「不然。郢中立王，君因謂其新王曰：『與我下東國，吾為王殺太子；不然，吾將與三國共立之。』然則下東國必可得也。」蘇秦之事，㈠可以請行，㈡可以令楚王亟入下東國，㈢可以益割於楚，㈣可以忠太子而使楚益入地，㈤可以為楚王走太子，㈥可以忠太子使之亟去，㈦可以惡蘇秦於薛公，㈧可以為蘇秦請封於楚，㈨可以使人說薛公以善蘇子，㈩可以使蘇子自解於薛公。

㈠……故曰：可以請行也。

㈡……故曰：可以使楚亟入地也。

㈢……故曰：可以益割於楚。

㈣……故曰：可以使楚益入地也。

㈤……故曰：可以為楚王使太子亟去也。

㈥……故曰：可以使太子急去也。

㈦……故曰：可使人惡蘇秦於薛公也。

㈧……故曰：可以為蘇秦請封於楚也。

㈨……故曰：可以為蘇秦說薛公以善蘇秦。

㈩（原缺）。

這段文字有兩個特點：一、游談的說詞多於史實；二、事後可以有好幾種發展的假設。如果將這類篇章擺在春秋類的史書行列的話，實在是不能讓人信服，《秦策》一謂蘇秦「乃夜發書陳篋數十，得太公陰符之謀，伏而誦之，簡練以爲揣摩」；所謂「發書數十篋」「太公陰符之謀」，大概就是此類書。晁公武謂《戰國策》「蓋出於學縱橫者所著」，如果改說爲「蓋出於學縱橫者所著，以爲平日揣摩簡練之資」，恐怕更正確。《隋書》改列爲雜史類，恐怕有其道理。⑮

就《戰國策》作者本身而言，並沒有僞託、假造或附益之意圖，只是後來者誤解部分「揣摩」「簡練」之篇章爲眞實史料，把它的學術價值估計得太高罷了。無可否認的，《戰國策》不少篇章是可靠的史料，然而，却也有不少「揣摩」「簡練」的篇章附益進去，「僞託」爲戰國史；爲了重估此書的學術價值，採用古籍辨僞學的方法將這類篇章鑑別開來，是相當需要的。

綜合上述八個例子四個層面，我們即可看出古籍辨僞學的地位了——不管史料的整理，或一般史實、學術史實的敍述，甚至於某書的學術地位和價值，都必須先從古籍眞僞着手，然則古籍辨僞學之爲一切文史哲的學問的基礎，殆可以肯定了。

❶ 馬文在《天馬山房叢書》內。
❷ 嚴著發表於《大陸雜誌》第十八卷第十一期內。
❸ 在《四部正譌》引語內。
❹ 劉向《七錄》云：「《孫子兵法》三卷。」見《史記·孫子列傳》「可以小試勒兵乎」下，張守

節《正義》引。

❺ 陳振孫《直齋書錄解題》卷十二云：「孫武事吳闔閭，而事不見於《春秋傳》，未知其果何人也。」

❻ 葉適《習學記言》卷四十六云：「春秋末，戰國初山林處士所為，其言得用於吳者，其徒誇大之說也。自周之盛至春秋，凡將兵者必與聞國政，未有特將於外者，六國時此制始改。」

❼ 宋濂《諸子辨》云：「葉適以不見載於《左傳》，疑其書乃春秋末、戰國初山林處士之所為，予獨不敢謂然。春秋時，列國之事赴告者則書於策，不然則否。二百四十二年之間，大國若秦楚，小國若越燕，其行事不見於經傳者有矣，何獨武哉！」

❽ 《四庫提要》云：「武書為百代談兵之祖，葉適以其人不見於《左傳》，疑其書乃春秋末、戰國初山林處士之所為。然《史記》載闔閭謂武曰：『子之十三篇，吾盡觀之矣。』則確為武所自著，非後人嫁名於武也。」孫星衍《孫子略解·敘》云：「諸子之文，皆由沒世之後，門人小子撰述成書。惟此是其手定，且在列、莊、孟、荀之前，眞古書也。」

❾ 許渾，字仲晦，工詩，著有《丁卯集》二卷，又有《續集》二卷、《續補》一卷及《集外遺詩》一卷。

❿ 《中興閒氣集》，二卷，高仲武編，收至德至大曆間二十六人之詩計一百四十首。

⓫ 見馮著《中國哲學史》第一篇第八章《子學時代》，二一〇—二一一頁。

⓬ 見張心澂《偽書通考》，八〇四頁引。

⑬ 同上，八〇三頁引。

⑭ 文內之數字，為筆者所加。

⑮ 有關此部分，可參拙作《戰國策研究》第九章《來源及作成時代之蠡測》，臺灣學生書局出版。

附論：辨僞的發生

因爲有造僞書的人，因爲有僞書流傳，因爲不辨別僞書就有不好的結果，所以就有辨別僞書的必要，就有辨別僞書的事發生。但也有因爲不明瞭古時的情況，不明瞭古書的來源，以後世著書的方法同樣的來衡量古書，因此而發生誤會和揣測，於是某書在某種情勢之下遂叫做僞書，以致發生辨僞的事。這些有關古時情況，分別說明如下：

一、古人不自己著書

古人寫字用簡冊刀錐，以後進步了用竹帛毛筆漆書，都不及後世用紙筆的便利，更不如印刷術發明後流傳的廣遠，所以古人的言辭議論也很簡單，不如今人隨時任意發抒長篇大論，因此古人幾乎可以說沒有著書的事。在政治界或學術界占重要地位的人，他的口說和行事，往往由後人或他的門人記錄下來，如孔子所說的「述而不作」。唐、宋時在本人生前刻文集行世的還很少，多是死後由他的家人或門人或友人編集來出版，還是承古代的遺風。如《論語》是孔子的後學所記，《管子》也是後人所記，所以有管子死後的事。降至戰國，才有自己寫他所說的於簡册上，也不過是記錄備忘，不是有意於著作。死後他的門人彙集他的言語和行事，以他自己寫的列在前面，如《莊子》一書之類，故也記莊子的死和他死後的事。後人望名生義，見《論語》內多「子曰」，知道不是孔子自著的。見《管子》、《莊子》名稱，以爲是管、莊自著的，遂題撰者管夷吾、莊周的名，相沿成爲完全管、莊自著的書，因而發生眞僞問題了。其實就書名而論，名爲《管子》、《莊子》，已表示係記述管子、莊子的言行，或與他的學派有關或相類之事的書，不會是管、莊自己所著而自己稱子。著者不知是誰，也不是一人一時的。題爲管夷吾所著，就成了僞書。若說是管子一派的人做的，就不算僞。《莊子內篇》可說是由莊子自己記的簡册傳下來，可認爲自著，不僞；《外篇》、《雜篇》就不然了。若也統稱爲莊著，就有僞的了。

二、古人著書不自出名

章學誠說：「古人之言所以爲公也，未嘗矜於文辭而私據爲己有也。」(《文史通義·言公上》)故在孔子以前，本沒有自己著書的事，即偶有所言，或係受前人之語，或係一己的思想，寫在簡册上，以備遺忘，也無所謂書的體例。他的簡册傳於他人或後人，就以他所說的應用，以後又展轉相傳，連傳的人自己的思想偶然寫在簡册上的也一併相傳，書本爲應用而設，不爲傳名而設，故簡册流傳，著者的姓名既不自己寫在册上，也往往湮沒弗彰。後世得展轉相傳爲公的簡册，必要求著者的主名而不知，就揣測它最初的人或某位著名的人，於是文王作、周公作、孔子作、曾子作，一人題名，遂成定案，致使後人翻案發生辨僞的事。

三、古書世傳非成於一手

在古代，祇有官家有簡册，即巫和史所掌管的，都是傳給他們的子孫，一家世代相傳的（漢初司馬談、司馬遷父子相繼爲太史，西漢末劉向、劉歆相繼典秘書，還是承古的遺風）。故巫史所傳的簡册，在後世成爲書的，頗難辨别是某代某人所記的。若不是傳子孫的，就是本派的門弟子相傳，如公羊氏的《春秋傳》五世相傳，到胡母生才寫成書。西漢、東漢師弟傳經，他們的系統還有可考的。《公羊傳》亦難定那句話是那代人說的。如左邱明和孔子同時或較早，而《史記》說他傳《春秋》。傳《春秋》的左氏，是否邱明，已成疑問。孔子所引的左邱明，本如史佚、遲任之類，是孔子以前的人；左氏當是在魯世世代代做史官的。作《左氏春秋》或《左氏國語》的，當是邱明的後人，也是繼承前代的簡册，繼續增纂而成的。史遷以左氏中最著名的邱明做著者的主名，因而發生後人的辯論。

四、書名非著者之名

如《管子》是書名，不是指管子所自著。如《黃帝陰符經》是後人託言黃帝所傳之道，故名《黃帝陰符經》，並非說是黃帝自作。李筌一人誤稱黃帝作，相沿就以爲是黃帝作，嗣後遂發生眞僞的問題。黃帝《素問》，神農《本草》也是這一類。這都是因爲書的標題上有人名，就誤以爲這人所著，辨僞的事因而發生。

由於以上四種的原因不明，以致加多了辨僞的事。大抵戰國和戰國以後的僞書，由於後人僞造的居多，其過多在於作僞的人；戰國和戰國以前的僞書，有由於讀者的誤會，其過或在於讀者。這也是辨僞的人所應當知道的。

（錄自張心澂《僞書通考·總論》〔新版〕）

第三章　源流（上）

古籍辨僞的產生，也許可以追溯到春秋時代去。孔子說：「夏禮，吾能言之，杞不足徵；殷禮，吾能言之，宋不足徵。文獻不足故也；足，則吾能徵之矣。」文獻是否充足，恐怕和文獻的殘缺眞僞有關。他的學生子貢曾經說過：「紂之不善，不如是之甚也。」他的私淑弟子孟軻也說過：「盡信書不如無書；吾於《武成》，取二、三策而已矣。」主張性惡的荀卿，曾經用「假今之世，飾邪說，文姦言，以梟亂天下」及「案往舊造說」（《非十二子篇》）的話語來批評子思及孟軻。如果這些引文都和古籍眞僞有關係的話，那麼，根據目前所擁有的資料，古籍辨僞這門學問，應該可以追溯到春秋時代去。不過，仔細推敲起來，孔子、子貢及孟軻所指說的，與其說是古籍眞僞的問題，不如說是古史眞僞的辨別來得更恰當；所謂「盡信書不如無書」，指的是書本上所記載的史實，不是書籍本身的眞僞，荀卿指斥他們「案往舊造說」，最足以作爲這說法的證據了。書本僞造，那麼，書本裏所記載的古史應該是靠不住，不過，書本即使是眞品，撰著者如果存心「飾邪說，文姦言」及「案往舊造說」的話，書本內所記載的古史當然更是靠不住。子貢、孟軻及荀卿所指說的，應該是後者，而不是前者。因此，把古籍辨僞的學問追溯到春秋的孔子及孔門去，恐怕有違事實。

僞造古籍應該是戰國時代的事，那個時候，諸家學派爲了創造於己有利的競爭「資本」，莫不「案往舊造說」，編撰僞造古籍；《漢志》所著錄的《神農》、《力牧》、《文子》、《大禹》及《蘇子》等書，都莫不在這種情形之下出現。有僞造的古籍，並不一定就有古籍辨僞學。戰國時代雖具備產生這門學問的條件，然而，其胚芽實際上尚未形成。

第一位古籍辨僞學家似乎是西漢初年的司馬遷。他在編寫《史記》前，對史料及文獻必定做過相當徹底的考辨工作。《五帝本紀》說：「太史公曰：學者多稱五帝尚矣。然《尚書》獨載堯以來，而百家言黃帝，其文不雅馴，薦紳先生難言之。……書缺有間矣，其軼乃時時見於他說，非好學深思，心知其意，固難爲淺見寡聞道也。余幷論次，擇其言尤雅者，故著爲本紀書首。」從這段話來觀察，司馬遷比較偏向於史實的考辨；所謂「雅馴」「雅言」，應該是指傳說的可靠程度而言，而不完全是史料本身的眞僞。《伯夷列傳》說：「夫學者載籍極博，猶考信於六藝。」史料雖然豐富，不過，取證於六藝却是鑑別史實眞僞的重要步驟。對司馬遷而言，考訂史實比鑑別史料來得重要；即使是鑑別史料，其目的也在於審訂史實的眞僞；這類例子，《史記》裏幾乎到處可見。

除了史實考訂之外，司馬遷似乎也很重視史料眞僞的考辨，《老莊申韓列傳》說：「《畏累虛》、《亢桑子》之屬，皆空語，無實事。」批評《畏累虛》及《亢桑子》空言無實事，等於間接說這兩篇的作者恐怕有問題。《仲尼弟子列傳》說：「學者多稱七十子之徒，譽者或過其實，毀者或損其眞，鈞之未睹厥容貌。則論言弟子籍，出孔氏古文近是。余以弟子名姓文字，悉取《論語》弟子問，并次爲篇，疑者闕焉。」司馬遷遍考史料，認爲古文《論語》比較接近事實，這間接也等於說《古論語》的史料價值比較高。

司馬遷在撰述《史記》之前，對史實及史料一定做過一番考訂的工夫，存精汰蕪，取雅捨駁。可惜《史記》是一部史實的敍述重於史料的鑑別的史書，司馬遷無法在書中留下鑑別史料的方法。

古籍辨僞學具備了產生的條件和環境，應該是從西漢末年開始；所以，我們討論古籍辨僞學的源流，也應該始於這個時候。

一、開創時期

漢惠帝四年（公元前一九一）解除秦始皇的挾書令，鼓勵獻書，「大收篇籍，廣開獻書之路」，「置寫書之官，下及諸子傳說，皆充秘府」[1]，被封在河間的宗室獻王劉德，甚至於用貨幣布帛賞賜獻書者[2]。在積極鼓勵及重賞之下，「天下衆書，往往頗出」，似乎是可以意料得到的。不出數年，據說河間獻王的藏書和朝廷相等[3]；到了劉歆的時代，朝廷的藏書據說已經是「積如丘山」了[4]。從廣開獻書運動開始，僞造的古籍就逐漸充斥朝廷及地方，不過，朝廷這時只在保存古籍方面盡其心力，還沒想到擬訂一套計劃，以便整理、辨別及鈔繕這一大批古籍。

漢成帝河平三年（公元前二六），光祿大夫劉向被委任爲典校中秘藏書的主要負責人，他率領了步兵校尉任宏、太史令尹咸及侍醫李柱國，分別負責整理校訂經傳諸子詩賦、兵書、數術及方伎等古籍。除了讎校訛文脫簡以便寫成定本，以及條別篇章以便定著目次等之外，另一個重要的整理工作便是鑑別書籍的眞僞了。試看劉向對《神農》一書所寫的《敍錄》說：「疑李悝及商君所說。」不相信該書是上古神農所作；又如《黃帝泰素》，他說：「或言韓諸公孫之所作也。」不信黃帝所手寫的；又如《晏子春秋》，他說：「又有頗不合經術，似非晏子言，疑後世辨士所爲者。」以爲《晏子》書有僞造依託者。劉向的判斷，雖然有時只憑着自己直接所得的印象，有時所持的理由也過份簡單，不過，迄今還大部分正確無訛，成爲學術界共同遵守的結論。這門學問在開創之際，就有如此的成績，實在應該歸功於劉向了。

可以肯定地說，古籍辨僞自劉向始創之後，不但是傳承下來，而且也受到學者們應有的重視。大約一個世紀以後，以劉歆的《七略》爲基礎的《漢書·藝文志》，即承繼了劉向、歆父子的辨僞學，把古籍眞僞的辨明當作是編纂目錄的一個必需工作。《諸子類·文子》九篇下云：「似依託者也。」《力牧》二十二篇下云：「六國時所作，託之力牧。」《大禹》三十七篇下云：「傳言禹所作，其文似後世語。」像這類例子，爲數相當多。這些案語不管是班固摘錄自劉向、歆父子的著作，或是班固自己下的斷語，它們都有一個共同點——重視古籍眞僞的辨明。

總結上文的敍述，即知古籍辨僞學在司馬遷時代已露其端倪，而劉向是實際的奠基者，他的兒子劉歆也承繼這套學問，而班固更是篤守不移。不過，這個時期的古籍辨僞學只是個胚胎而已，而且還是附庸在校讎目錄學的藩籬底下，是一門零碎的小學問。

二、小用時期

從西漢中葉到東漢末年兩百數十年間，學術界發生了幾件和經學有關連的重大事情。雖然在本質上都是經學的事情，不過，却也涉及古籍辨僞的運用的問題，值得我們注意。

首先，是張霸僞造百兩篇僞古文《尚書》的事件。《漢書・儒林傳》說：「世所傳百兩篇者，出東萊張霸，分析合二十九篇以爲數十，又采《左氏傳》、《書敍》爲作首尾，凡百二篇，篇或數簡，文意淺陋。成帝時，求其古文者，霸以能爲百兩徵，以中書校之，非是。」張霸所獻一百零二篇古文《尚書》，和中秘所藏比今文《尚書》多十餘篇的孔壁古文《尚書》不相符合，可證張霸所獻者大有問題。比勘求證，是古籍辨僞學重要方法之一，西漢人已知運用此法來推求古籍的眞僞了。

其次，是西漢末年及東漢初年爭立古文經的事件。

西漢末年，劉歆承繼父業典校中秘群書，見古文《春秋左氏傳》，「臧於秘府，伏而未發」❺，大好之。當時，丞相史尹咸也治《左氏》，劉歆乃與尹咸共校經傳，而且引傳文以解經，使其章句義理完備。數年後，也就是哀帝建平元年（公元前六），劉歆請立《左氏春秋》、《毛詩》、《逸禮》及古文《尚書》於學官，以便和《易》、《書》、《詩》、《禮》

及《春秋》等五經十四博士共享同等地位。哀帝自己不敢裁奪，命令劉歆和五經博士們共同討論，以見其優劣是非。諸博士集體抵制劉歆，「深閉固距」，不肯出來應對。根據《移太常博士書》來觀察，劉歆一面指責博士們「謂左氏爲不傳《春秋》」，豈不哀哉」、「黨同門，妬道眞」、「與其過而廢之也，寧過而立之」，再則指責博士們「挾恐見破之私意，而無從善服義之公心，或懷妬嫉，不考情實」、「欲以杜塞餘道，絕滅微學」，大概當時博士們一則懷疑《左氏》是部不傳《春秋》大義的僞書，一則深恐《左氏》一旦立於學官，自己的地位就被削弱，甚至於面臨不可預測的命運，所以，才不肯應對。

東漢光武帝即位的第二年，這件事又再被掀開，而引起另一場爭論。建武二年（公元前二六），尚書令韓歆上疏建議立《費氏易》及《左氏春秋》爲博士。兩年後，光武帝召卿大夫及博士於雲臺，討論韓歆的建議，博士范升立即提出反對的意見，而且和韓歆、許淑等互相辯難，日中乃罷。不久，范升又再上二疏，提出四個反駁的理由：

㈠左氏不祖孔子，而出於邱明；

㈡師徒相傳，又無其人；

㈢非先帝所存，無因得立；

㈣若左氏立，恐騶氏、夾氏亦欲爭立。

范升除重述《左傳》爲不祖述《春秋》大義的僞書外，並加進了「《左傳》傳授系統不明確」的證據，以便擴大《左傳》僞造的眞實性。在奏疏中，范升提出「左氏之失凡十四事」及

「《左氏春秋》不可錄三十一事」；在這四十五事中，到底多少事和古籍辨僞有關，我們今天已無從考知了。

經今古文之爭雖然是經學上的大事，不過，當時學者們在爭論之際，却採用了古籍辨僞的一些方法。拒絕應對劉歆的博士們，以爲「左氏爲不傳《春秋》」，批駁韓歆的范升謂「左氏不祖孔子，而出於邱明」；他們運用《左傳》的義理接不上《春秋》爲理由，大肆評擊《左傳》是左丘明依託比附「聖門」的一部僞作。另一方面，他們又運用經學上「師徒傳統」的規矩，說明《左氏春秋》傳統系統不明確，是部可疑性很高的僞書。從這裏，我們就可以瞭解，古籍辨僞在開創之際，如何很迅速地被運用到學術上去。

自范升以後，有關經今古文爭立之事，已經不再和古籍辨僞有關。賈逵通過圖讖比附漢事，使《左氏》、《毛詩》及古文《尚書》等大行於世；陳元和李育、何休和鄭玄根據義理爭議三《傳》；這些，都已經離開了古籍眞僞而轉到經籍的實用及優劣的問題上去。

東漢末年，產生了兩位善於運用辨僞學的經學家。

第一位是馬融。馬融在考訂《尚書．泰誓篇》時，曾引《春秋》、《國語》及《孟子》等書，以證《泰誓》之爲僞作，他說：

> 又《春秋》引《泰誓》曰：「民之所欲，天必從之。」《國語》引《泰誓》曰：「朕夢協朕卜，襲於休祥，戎商必克。」《孟子》引《泰誓》曰：「我武惟揚，侵於之疆，取

> 彼凶殘，我伐用張，於湯有光。」《孫卿》引《泰誓》曰：「獨夫受。」《禮記》引《泰誓》曰：「予克受，非予武，惟朕文考無罪；受克予，非朕文考有罪，惟予小子無良。」今文《泰誓》皆無此語。吾見書傳多矣，所引《泰誓》而不在《泰誓》者甚多，弗復悉記，略擧五事以明之，亦可知也。

他根據佚文，考訂《泰誓》的眞僞。他又說：「《泰誓》後得，案其文似若淺露。」又說：「八百諸侯不召自來，不期同時，不謀同辭，及火復於上，至於王屋，流爲鵰，至五以穀俱來，擧火神怪，得無在子不語中乎？❻」這裏，他又根據文體的深淺以及內容的怪誕，考訂此文的可信程度。在當時來說，馬融能夠創出以佚文、文體及內容的辨僞方法來考訂古書的眞僞，的確是一位很傑出的古籍辨僞學家。

第二位是鄭玄。鄭玄對《禮記．月令篇》有一段疏解：「名曰《月令》者，以其記十二月政之所行也。本《呂氏春秋》十二月紀之首章也，以禮家好事抄合之，後人因題之，名曰《禮記》，言周公所作。其中官名、時事，多不合周法。」鄭玄能夠通過《呂覽》的核對及官名時事的比勘，知《月令篇》乃「好事」者所僞託，在當時來說，也是一個很特出的實例。他的學生，也頗能師承這套學問，例如馬昭對《孔子家語》的懷疑，說：「王肅所增造。❼」又說：「《家語》之言，固所未信。❽」可惜只是片言隻語而已。

古籍辨僞從劉向專門辨證子書開始，到馬融、鄭玄兼及經書爲止，不但廣爲學術界所接受，而且運用的範圍和程度，愈來愈廣，愈來愈深。

南北朝的時候，古籍辨僞不再只是編纂目錄及撰述序目的附帶工作而已；一些學者們，已經知道將它作爲讀書的基本方法了。顏之推見到《通俗文》題作「河南服虔字子愼造」，就以「服虔是漢時人，該書敍文引及魏代蘇林、張揖」及「鄭玄以前無反語，該書有反切」兩個理由❾，而考知其作者絕不是漢末的服虔。《山海經》舊題夏禹及益所記，而書內有長沙、零陵、桂陽及諸暨等秦漢郡縣之名，顏之推比況《本草》、《爾雅》、《春秋》、《世本》、《汲冢瑣語》及《蒼頡篇》等的情形，而考知「皆由後人所羼，非本文也」。顏之推不是目錄學家，然而，在他的大著裏却討論了古書眞僞的問題，可知這門學問已經脫離了目錄學的藩籬，逐漸朝獨立的路子走，而且被公認爲讀書的基礎了。

三、發展時期

到了隋唐，古籍辨僞除賡續過去的路子，在學術界擔當目錄學、注疏學及經學的附庸角色外，又另闢溪徑，幾乎有脫胎誕生，成爲一門專科學問之勢。

承續《漢志》的餘緒，《隋書・經籍志》在編纂之際，也沒有忽略古籍辨僞學的重要性。除了書名下小注的案語——例如《孝經類・古文孝經》下云：「孔安國傳，梁末亡逸，今疑非古本。」又如《道家類・廣成子》下云：「商洛公撰，張太衡注，疑近人作。」——；在若干類的小序裏，也討論了該類中的一些僞書；例如《易類》小序云：「《歸藏》，漢初已亡，案《晉中經簿》有之，唯載卜筮，不似聖人之旨。以本卦尚存，故取置于《周易》之首，以備殷易之缺。」《歸藏》既爲一部有問題的書，《隋志》列在《周易》之前，只是聊備一目而已。又如《孝經類》小序云：「又有鄭氏注，相傳或云鄭玄，其立義與玄所注餘書不同，故疑之。……安國之本亡於梁亂……至隋，秘書監王劭於京師訪得孔《傳》，送至河間劉炫，炫因序其得喪……儒者諠諠，皆云炫自作之，非孔舊本。」《隋志》一則懷疑鄭氏注本非鄭玄所注，二則詳載孔注本亡得始末與劉炫的關係。《隋志》辨別古籍的數量雖然相當有限，不過，《隋志》却能把辨僞的文字由小注一、二句案語，擴張到小序的十餘二十句，以明其造僞的緣由及託僞之始末；這應該是一種進步。

除了正史目錄，這個時期的佛經目錄，也講究內典的辨僞；梁任公曾經說過：

東晉的道安編《佛經目錄》，把可疑的佛經，另外編入一門，叫做《疑經錄》；因為他這樣，所以後來編佛經的都很注意僞書了。《隋衆經目錄》，乃合沙門及學士等撰，分別五例，第四例是「疑僞」，專收可疑或確僞的佛經，也是道安的成例。又有一部《別本衆經目錄》，是沙門法經做的，把三藏分做六部，每部又分六節，第四、五節叫做《疑惑偽妄》，把疑惑的佛經從偽妄的佛經分出，比較《佛經目錄》、《隋衆經目錄》更加精細，更加慎重了。從這點看，隋唐間的佛經目錄學發達到最高度，只要佛經稍有可疑，決不容他和真經混淆。却不幸中唐編《開元釋敎錄》，只知貪多，不知辨偽，把法經已認為僞的書也編入真書裏，毫無分別，從此佛經辨僞學便漸漸衰微了⑩。

可知到了隋、唐之季，古籍辨僞學還跨越了正統的書目，被運用到佛經的辨僞上去。

至於經學方面，不但承繼東漢的學風，將古籍辨僞運用於鑑別考訂古籍之上，而且還擴大其影響力，幾乎達到每篇必論、每經必疑的地步。孔穎達與諸儒奉勅撰定《五經正義》，大量運用這門學問，便是個典型的實例。

孔穎達在《周易正義》的《序》裏，曾經討論了八個問題：一、論《易》之三名；二、論重卦之人；三、論三代《易》名；四、論《卦辭》《爻辭》誰作；五、論分上下二篇；六、論夫子《十翼》；七、論傳《易》之人；八、論誰加「經」字。這八個問題，除了《易》的名稱、三代《易》名及誰加「經」字外，其他五個都涉及古籍辨僞。至於《尚書》，孔穎達雖然在《序》的正文裏沒討論眞僞問題，不過，在《序》及若干篇的《疏》裏，却沒放過這個重要課題。例如在《尚書·序》「百篇之義，世莫得聞」下，孔《疏》詳盡地討論了《泰誓》迭次僞造的經過；在大題「虞書」底下，孔《疏》也討論了張霸僞造二十四篇的問題。至於《禮記》，孔《疏》在《月令篇》底下，發揮了鄭《目錄》「其中官名，時事多不合周法」，舉出四個強有力的證據，證明《禮記·月令篇》不是周初的作品，更不是周公所作的。

此外，孔穎達在他的疏文裏，也時而旁及其他古籍的辨僞，如《禮記·曾子問篇》「喪慈母自魯昭公也」下，孔《疏》云：「或《家語》，王肅所足。」懷疑《孔子家語》爲王肅所僞託。《左傳》莊公九年「管夷吾治于高傒使相可也」下，孔《疏》云：「世有《管子》書者，或是後人所錄。」懷疑《管子》的可靠性。像這樣「隨文批辨」的情形，也是很特殊。

至於其他學者，也莫不受此風氣的影響，或撰長文，或作短札，在他們的著作裏討論古籍的眞僞。例如顏師古不信《讕言》十篇爲孔穿所作，批評《西京雜記》「其書淺俗，出於里巷」，作者不可知⓫；又如劉知幾，他繼陸澄之後，舉出十二條證據，證明鄭玄《孝經注》是一部僞書⓬，他又考訂河上公《老子注》「其言鄙陋，其理乖訛」，應該罷黜；他又考訂《子夏易》六卷是「假憑先哲」之作。又如司馬貞，他不但同意劉知幾的看法，認爲鄭玄《孝經注》、河上公《老子注》及《子夏易傳》是僞託之書，甚至於《孝經》孔《傳》，也是後人崇敬古學才「妄作此傳，假稱孔氏」⓭。此外，杜佑謂《管子》八十六篇「載管子將沒對桓公之語」，懷疑是後人所續，房玄齡《注》是後人所依託⓮；趙匡謂《祭法》是西漢哀、平間的僞書⓯；這些，都是學者們受此風影響的例子。

柳宗元的出現，立刻把古籍辨僞帶到一個新的境界。他一系列子書眞僞的考辨，對這門學問而言，有着非常重大的意義。他是第一位意識到古籍辨僞學應該擺脫目錄學、經學及注疏學的附庸地位，而另闢門戶爲一門獨立學問的文人，他一系列諸子考辨雖然還不能完全免除目錄學「辨章學術，考鏡源流」的氣習，然而，他却是第一位把古籍辨僞當作一門學問認眞地加以研究的人——對《列子》、《文子》、《鬼谷子》、《晏子春秋》、《亢倉子》及《鶡冠子》等子書作一系列的研究，而且，這些研究都全力集中於考辨眞僞的課題上，更寶貴的是，這些文字完全爲辨僞而辨僞，不爲目錄學及注疏學而發。

柳宗元在開拓古籍辨僞學的辨僞範圍及方法上，都有相當卓越的貢獻。例如他討論《論語》時，說：「今所記獨曾子最後死，余是以知之，蓋樂正子春、子思之徒與爲之耳。或曰：孔子弟子嘗雜記其言，然而卒成其書者，曾子之徒也。」這是討論作者的問題。例如在辨訂《列子》時，他說：「其言魏牟、孔穿，皆出列子後，不可信。」這是討論成書時代的問題。至於在辨僞的方法上，或根據內容駁雜而疑其僞，如《辯文子》云：「然考其書，蓋駁書也。其渾而類者少，竊取他書以合之者多。」或從思想流派而訂其妄，如《辯晏子春秋》，認爲「墨好儉，晏子以儉名世」，「且其旨多尚同、兼愛、非樂、節用、非厚葬久喪者，是皆出墨子」，因疑「其墨子之徒有齊人者爲之」；都是相當新穎的辨僞方法。

柳宗元着意於讓古籍辨僞學成爲一門獨立的學問，而且意見精當，方法多面，對後世有很大的影響。他認爲，古籍辨僞是一門很重要的學問，通過它可以瞭解古籍的價値和地位，是建立其他學問的根基；似此態度的形成，正標誌着古籍辨僞已經發展到一個新的旅程碑——逐漸成形，漸趨獨立。胡應麟《四部正譌》在《鶡冠子》下，對柳宗元的評價是「若抉邪摘僞，判別妄眞，子厚之裁鑑，良不可誣……皆洞見肝膈，厥有功斯文，亦不細矣」；柳宗元的貢獻，豈止是幾部古籍眞僞的考訂而已。

與柳宗元同時的文人，也頗受此風氣的影響，對古籍的眞僞不但特別注意，並且還下工夫加以研究。例如韓愈，他就曾經爲文論子夏不作《詩序》，今《詩》有子夏《序》，乃「漢之學者欲自顯立其傳」，才假託子夏之名；他又爲文論《孟子》書非軻所自著，乃萬章、公孫丑所記。這些說法，都頗受後人所重視。

經過東漢及南北朝的小用階段，古籍辨僞到了隋唐二朝，又有一個機會加以發展——除了維持舊路子，又一度拓寬其運用範圍到佛經上去；另一方面，由於其影響力的加強，文人學者已接受其爲讀書及研究的根本。到了柳宗元，古籍辨僞發展到另一高峯——學術界開始意識到它具備了獨立的性格和地位，於是，擺脫附庸的角色只待時日的來臨而已。

四、獨立時期

到了趙宋，由於學風轉變，古籍辨僞發展得更迅速——從態度上言，學者們心目中已沒有所謂「聖人」「經學」等觀念，舉凡作者、成書時代及經文附益等，都提出來討論；從範圍上言，他們擴大了古籍辨僞的影響力，舉凡經、史、子、集，皆可以研究，皆加以考辨；從程度上言，他們不諱言僞託的作品，只要被認爲有問題的，他們都毫無保留地批評、刪棄；從方法上言，他們開拓了古籍辨僞的研究新途徑，並且利用這新途徑，把前人討論過的再加以發揮和開闢。因此，說宋代是古籍辨僞學在明代宣佈獨立的前奏，恐怕不是夸飾之辭。

當時，參與這門學問的學者，爲數非常多，研究的範圍也非常廣。名學者如歐陽修、蘇軾、蘇轍、鄭樵、朱熹、葉適、王柏、高似孫、晁公武及陳振孫等，或發爲專門議論，寫成專文，或採用札記方式，簡要地寫下三五斷言，都莫不豐富了古籍辨僞在宋代的成績。歐陽修著《易童子問》[16]，謂《周易》恐怕不完全爲聖人所作，影響所及，後來研究《周易》的都在作者及著成時代全力以赴，成爲宋代以後研究《周易》的一個趨勢。蘇軾、蘇轍兄弟分別撰《天子六軍之制》及《歷史論·周公》，批評《周禮》「非聖人之制也，戰國所增之文」及「秦漢諸儒以意損益之者衆」，成爲後人重新評估《周禮》的先聲。南宋朱熹在《朱子語類》裏，懷疑《尚書大序》是後人所僞託，恐怕不是孔安國的親撰[17]，晚宋王柏及金履祥即承此方向，撰文加以發揮。緊跟着唐人對古文《尚書·泰誓篇》的懷疑之後[18]，南宋吳棫擴大了對古文《尚書》懷疑的範圍和程度，他不但懷疑《泰誓》晚出，爲後人所依託，也懷疑古文不應當比今文平易淺近[19]，成爲僞古文《尚書》這件公案的先驅者。對《詩序》採取激烈的懷疑態度[20]，首先要推南宋鄭樵的《詩辨妄》了；他不但明言《詩序》不是子夏所作，而且還肯定其作者是「村野妄人」[21]，開啓了後來學者對《詩經》採取更激烈的刪削的態度。

至於目錄學家如晁公武及陳振孫，他們雖然並不專爲辨僞而著書，不過，却在他們的著作內大量懷疑古籍的眞僞——晁公武在《郡齋讀書志》裏懷疑了近六十種書，陳振孫在《直齋書錄解題》內懷疑了近百種事，懷疑範圍之廣，幾乎前無古人。又如洪邁，雖然他在《容齋隨筆》內只有數條筆記涉及古籍辨僞，不過，他在《容齋三筆》卷十五《別國方言》內對揚雄《方言》的考訂，却非常傑出。他從本傳自敍著作、《漢志》著錄、避諱、稱謚及詞彙等幾個方面，考訂揚雄不撰《方言》，方法的綿密和考慮的周詳，値得後人特別注意和倣法。此外，葉適的《習學記言序目》、黃震的《黃氏日鈔》及王應麟的《漢書藝文志考證》及《困學記聞》，也頗多涉及古籍眞僞的考訂。

陸游說：「唐及國初，學者不敢議孔安國、鄭康成，況聖人乎？自慶曆後，諸儒發明經旨，非前人所及；然排《繫辭》，毁《周禮》，疑《孟子》，譏《書》之《胤征》、《顧命》，黜《詩》之《序》，不難於議經，況傳注乎！㉒」宋人議經之風，在前代之上，陸氏所言，與事實相符。古籍辨僞可被運用爲議經之一法，在此學風之下，卒大肆流行矣。顧頡剛說：「宋代辨僞之風非常盛行，北宋有司馬光、歐陽修、蘇軾、王安石等，南宋有鄭樵、程大昌、朱熹、葉適、洪邁、唐仲友、趙汝談、高似孫、晁公武、黃震等。」看了這張名單，即可知參與其事者之衆多了。

到了明朝，古籍辨僞學出現了兩位大家：宋濂和胡應麟。宋濂窮三月之力，完成一卷的《諸子辨》；胡應麟苦心孤詣，寫成了三卷的《四部正譌》；雖然它們的分量都相當有限，不過，他們却爲這門學問完成了一項歷史性的任務——獨立成爲專門學科。

宋濂卷首有《小序》一則，說明他有感於僞書之衆多，營惑後世學子，乃「辭而辨之」，以爲「解惑」之用；其後他考辨子書四十種，自《鬻子》至《子程子》，卷末並附《跋文》

一則。宋濂此書雖未必完全在於考辨古籍之眞僞，不過，他却是秉承柳宗元之後，另外一位爲群書眞僞撰寫專著的學者，在他的心目中，古籍辨僞不但有益於學術，而且還應該被當作獨立的專科學問來研究；今天，當我們披覽此書之際，很容易就會感受到他這個強烈的意願。

胡應麟比宋濂更進一步，他不但把這門學問當專門學科來看待，而且，還爲它建立了理論和法則。《四部正譌》卷上的開首就有一篇文章，縱論各種僞書的情形，有僞作於前代而世率知之者，有僞作於近代而世反惑者，有掇古人之事而僞者，情形多至二十種，接下來他說：「世或以非僞而信之，或概以僞而疑之，皆弗深考故也。余故詳爲別白，俾撰者弗湮其實，非撰者弗蒙其聲，於經籍或有補云。」卷下的末尾又有一篇文章，胡氏在這裏討論了僞書的特徵、僞書與僞書之間的曲折關係、考辨僞書的方法、四部僞書的情形以及各種古籍眞僞的程度。

在古籍辨僞學源流上，胡應麟是第一位將僞書加以分門別類的學者，也是第一位提出僞書的特徵以及考核僞書的方法等理論的學者；古籍辨僞學經過柳宗元及宋濂等人的努力和開拓，到了他的手裏，終於宣佈爲一門獨立的專科學問。自這個時候起，古籍辨僞學的附庸地位總算成爲歷史的陳跡。梁任公說：

> 那書的末尾幾段講辨僞的方法，應用的工具，經過的歷程，全書發明了許多原理原則，

首尾完備，條理整齊，真是有辨偽學以來的第一部著作。我們也可以說，辨偽學到了此時，才成為一種學問。

實在說得很中肯。往後學者們討論古籍辨偽學的研究方法及偽書的種類等等，時常稱引胡氏的說法，並且據爲金科玉律，然則其影響之深且鉅，於此可見了。

《四部正譌》徧考經史子集古籍百部以上，所得成績，往往超邁前人；所下論斷，也時常先聲奪人；至於批評偽書，深責依託者，快筆淋漓，勇氣難當。試讀下引諸例：

> 《乾坤鑿度》：此特荒陋俚儒偽撰耳。
>
> 《三墳》：余讀之，蓋諸贋書中至淺陋者……偽書之陋，無陋於《三墳》也。
>
> 《鬻子》：而此以九十遇文，可笑至此。
>
> 《陰符經》：此書固匪黃帝，亦匪太公，其為蘇子所讀則瞭然，而前人無取證者，故余首發之，俟博雅士定焉。
>
> 《鬼谷》：余讀之，淺而陋矣。即儀、秦之師，其術宜不至猥下如是……此其可笑，正與「方城」作「萬城」切對。漫筆之，以當解頤。
>
> 《子華子》：全剽百氏成文，至章法起伏喚應，宛然宋世場屋文字……考亭諸君子闕此，亦將相對一大噱也。

《李衛公問對》：其詞旨淺陋猥俗，兵家最亡足采者，而宋人以列七經，殊可笑。
《隋遺錄》：文絕鄙俗，而稱顏師古，殊可笑。
《龍城錄》：宋王銍性之撰，嫁名柳河東……余嘗笑河東生平抉駁僞書，如《鬼谷》、《鶡冠》等，千百載上無遁情，真漢庭老吏；日後乃身為宋人誣衊不能辯，大是笑資。

說胡應麟是古籍辨僞學的功臣似乎還不太夠，從上引諸條來觀察，他還是古籍辨僞學的一名猛將。

除了他們兩人，明代還出現了一位大學者——梅鷟。梅鷟撰《尚書考異》五卷，用考據的方法將古文《尚書》沿襲剽竊古書一一指出，並追本探源地將其出處舉出來，以證明其爲僞作；梅氏不但爲後來者開啓考辨僞書的新方法，也爲古文《尚書》眞僞的爭辯啓開了序幕。

❶ 見《漢書．藝文志．序》。
❷ 《漢書．河間獻王傳》云：「從民間得善書，必為好寫與之，留其眞，加金帛賜以招之。」
❸ 同上云：「或有先秦舊書，多奉以進獻王者，故得書多與漢朝等。」
❹ 劉歆《七略》云：「武帝廣開獻書之路，百年之間，書積如山。」（《太平御覽》六一九引）

❺ 劉歆《移書太常博士》語，見《漢書·楚元王傳》；下同。

❻ 本段所引馬融諸文，俱見《尚書·泰誓·序·疏》內。

❼ 見《禮記·樂記》孔《疏》引。

❽ 見《通志》卷九十一引。

❾ 見《顏氏家訓·書證篇》。

❿ 見梁著《古書眞偽及其年代》。

⓫ 見《漢志·注》引，見《漢書·匡衡傳·注》引。

⓬ 見《唐會要》卷七十七《論經義載劉知幾奏書》。

⓭ 同上。

⓮ 晁公武《郡齋讀書志》引杜佑《指略》。

⓯ 見《春秋集傳纂例·郊廟雩社例》十二《辨禘義》。

⓰ 歐陽修之前，王昭素、范諤昌已疑《十翼》非孔子所作，見友人葉國良著《宋人疑經改經考》，頁三—四。

⓱ 《朱子語類》卷七十八曰：「《尚書·小序》不知何人作，《大序》亦不是孔安國作，只怕是撰《孔叢子》底人作。文字軟善，西漢文字則麤大。」又曰：「況先漢文章重厚有力量，今《大序》格致極輕，疑是晉、宋間文章。況孔書至東晉方出，前此諸儒皆不曾見，可疑之甚。」

⓲ 見《尚書·序》「百篇之義，世莫得聞」下《疏》。

⑲ 吳澄《書纂言・目錄》引吳棫語云：「增多之書，皆文從字順；非若伏生之書，詰屈聱牙。」

⑳ 趙宋之際，懷疑《詩序》者大有人在，歐陽修著《詩本義》，雖不信《詩序》為子夏所作，然書中亦頗採《詩序》之說；張載、二程及蘇轍等人說《詩》，於《詩序》也頗斟酌去取，他們都是比較溫和及消極的懷疑而已。到了鄭樵，懷疑態度才轉激。

㉑ 《朱子語類》卷八十云：「向見鄭漁仲有《詩辨妄》，力詆《詩序》；其間言語太甚，以為皆是村野妄人所作。」

㉒ 見王應麟《困學紀聞》卷八引。

第四章　源流（下）

五、大用時期

辨僞學發展到清代，隨着考據學成爲學術的主流，而達到空前的大用時期。梁任公在《中國近三百年學術史》裏，曾條理出清人整理舊學的總成績，它們是「校注古籍」、「辨僞書」及「輯佚書」❶，將古籍辨僞學列爲總成績的一項；顧頡剛也說：「清代的考據學的主流無疑是要把從戰國到三國的許多古籍的眞僞和它們的著作時代考辨清楚，還給它們一個本來面目。他們的優點是不受傳統的束縛，敢於觸犯當時的『離經叛道，非聖無法』的禁條……所用的方法也是接近於科學的。❷」特別強調清代的古籍辨僞學。據此，可知這一門學問發展到清代，無疑的已經到了鼎盛的時期了。

清初的兩位著名學者顧炎武及黃宗羲，都非常重視古籍辨僞學。

顧炎武在他的《日知錄》裏，曾經懷疑《古文尚書》及《書序》，也懷疑《詩序》，更認爲《春秋》不含微言大義，孔子只是「述而不作」而已；對於造僞者，他更是大張撻伐，他說：「漢人好以自作之書而托爲古人，張霸百二《尚書》、衞宏《詩序》之類是也。晉以下人則有以他人之書而竊爲己作，郭象《莊子注》、何法盛《晉中興書》之類是也。若有明一代之人，其所著書無非竊盜而已。❸」對造僞者之痛恨，於此可見了。

另一位著名的學者黃宗羲，也極力倡導古籍辨僞學，他著有《授書隨筆》，是答覆閻若璩有關《尚書》的筆記；又爲閻著《尚書古文疏證》寫序，稱贊他的著作「取材富，折衷當」，終使《古文尚書》之僞成爲定讞。他又反對《春秋》學中的「筆法」和「大義」，認爲《公羊傳》及《穀梁傳》全是穿鑿附會之書。

在他們兩人的提倡及影響之下，清代初年就產生了許多著名的古籍辨僞學家，爲這門學問帶來驚人的成績。

首先，特別要介紹的是花了一生的心血，提出了一百多條證據，把千餘年來流行的《古文尚書》判爲僞書的閻若璩。閻若璩著有《尚書古文疏證》，繼承宋代吳棫、朱熹，元代吳澄及明代梅鷟的成果，把《古文尚書》及孔安國《傳》的僞託完全揭露出來。全書一百二十八條證據，有目無文者十二條，目文全缺者十七條❹，旁徵博引，發明至多，終使《古文尚書》之僞成爲定案。時人孫欽善依據閻著的百多條證據，將其辨僞方法歸納爲五種；茲過錄如次以供參考❺：

第一、從著錄上考察兩漢今古文《尚書》的篇數篇名，以證僞古文篇目之異。

如《第一言兩漢書載古文篇數與今異》、《第三言鄭康成注古文篇名與今異》、《第四言古文書題卷數篇次當如此》等條。

第二、從《尚書》佚文證偽古文文字之異。

如《第五言古文〈武成〉見劉歆〈三統曆〉者今異》、《第六言古文〈伊訓〉見〈三統曆〉及鄭注者今遺》、《第七言晚出〈泰誓〉獨遺〈墨子〉所引三語為破綻》、《第八言〈左傳〉載夏日食之禮今誤作季秋》、《第九言〈左傳〉「德乃降」之語今誤入〈大禹謨〉》、《第十言〈論語〉「孝乎惟孝」為句今誤點斷》、《第十一言〈孟子〉引書語誤入兩處》、《第十二言〈墨子〉引書語今妄改釋》、《第十三言〈左傳〉引〈夏訓〉語今強入〈五子之歌〉》、《第十五言〈左傳〉〈國語〉引逸書今皆有》、《第十六言〈禮記〉引逸書皆今有且誤析一篇為二》等條。

第三、或從取材以探其源，或從用材以指其誤，揭示偽《古文尚書》作偽之迹。

如《第三十一言「人心惟危，道心惟微」純出〈荀子〉所引〈道經〉》、《第四十九言兩以追書為實稱》、《第五十二言以〈管子〉引〈泰誓〉史臣辭為武王自語》、《第五十七言〈大禹謨〉讓皋陶不合〈堯典〉讓稷契》、《第六十四言〈胤征〉有「玉石俱焚」語為出魏晉間》等條。

第四、考篇章分合，揭示偽《古文尚書》割裂、離析作偽之迹。

如《第六十五言今〈堯典〉〈舜典〉本一為姚方興二十八字所橫斷》、《第六十六言今〈皋陶謨〉〈益稷〉本一別有〈棄稷篇〉見〈揚子〉》等條。

第五、從史實、典制、曆法、地理、文體以證僞古文、僞孔傳與時代不合。如《第七十言安國傳不甚通官制》、《第七十三言〈五子之歌〉不類夏代詩》、《第八十一言以曆法推仲康日食〈胤征〉都不合》、《第八十七言漢金城郡乃昭帝置安國傳突有》、《第八十八言晉省穀城入河南安國傳已然》、《第八十九言濟瀆枯而復通乃王莽後事安國傳亦有》等條。

總結閻若璩這五種辨僞方法，我們應該這麼說，閻若璩已將古籍辨僞學推展到登峯造極的境地了。他根據《尙書》的佚文求證古文《尙書》的僞託，他還追本探源地將古文《尙書》文句剽竊的本源找出來，並且把內容的意旨的根據地揭發出來；這些方法，不但嚴密細緻，鞭辟入裏，而且是前人所少嘗試的。

清初第二位傑出的古籍辨僞學家是胡渭。胡渭著有《易圖明辨》，此書繼黃宗羲《易學象數論》、黃宗炎《圖書辨惑》及毛奇齡《圖書原舛編》之後，爲考辨宋儒易學僞說僞圖的扛鼎之作。《易圖明辨》計十卷，卷首胡渭有《題辭》，云：

……故《詩》、《書》、《禮》、《樂》、《春秋》，皆不可以無圖，唯《易》則無所用圖；六十四卦、二體六爻之畫，卽其圖矣。白黑之點，九十之數，方圓之體，復姤之變，何為哉！……河圖之象，自古無傳，從何擬議？洛書之文，見於《洪範》，奚關卦爻？五行九宮，初不為易而設；參同契、先天太極，特借易以明丹道，而後人或指為河圖，或指為洛書，妄矣！妄之中又有妄焉，則劉牧所宗之龍圖，蔡元定所宗之關子明易，是也。此皆偽書……故凡為易圖以附益、經之所無者，皆可廢也。

《易圖明辨》一經流傳，宋人講《周易》所憑藉的圖書，立刻宣判死刑，而宋人理學淵藪之一的易學，也頓失藩籬；胡渭《易圖明辨》影響之大，實不亞於閻若璩的《尚書古文疏證》。

有關《易圖明辨》的辨偽方法，近人蘇慶彬曾歸納為十七條⑥，茲過錄如次以供參考：

第一、以書籍流傳證

歷代書籍流傳有緒，或傳或沒，不僅諸史志之，後儒亦有所道及，偽託者雖可託古人之說，而不能改史志之文，緘儒者之口，故以典籍之流傳驗之，可揭書之真偽。（例略，下同）

第二、以文辭證

文辭格制，因時代不同而異，偽託者雖字摹句擬，質之文辭格制，則其妄託於古人可知。

第三、以名稱證

物之命名，必有所本，不得妄稱，惟後之偽託者，斷章取義，臆說附會，以求合於己意。故辨偽者考究古人命名之原義，則偽託者無可遁迹。

第四、以經旨證

凡書必有主旨，先聖經傳，尤為著明。然後之學者，圖以他說混於正經，以售其偽，然其說亦多牽强駁雜。故辨偽者精研經旨，明聖言之所歸，則後人附會假託者可明。

第五、以思想淵源證

思想之流行，必有原委可尋，非憑空而降者也。故辨偽者以思想之源流考之，則偽託附會者之形迹，因之以明，亦因之以洞悉其偽。

第六、以思想互異證

成一家之言，一派之學，其思想必有一貫之旨，鮮有先後互異者。依託者屈前儒之說以合己意，遂昧此義，致使一人之說，前後牴牾。辨偽者得藉之而破其妄。

第七、以時代風氣證

按一時代有一時代之風尚，風氣所趨，上至君主，下逮庶民，無不靡然從之者。然偽託者昧於時代風氣之關係，妄自附會臆說。是故辨偽者深究時代風尚之所趨，以尋其事虛實，誠為辨偽之一法也。

第八、以學術之傳授證

凡學者倡一說，而關係聖人之經，果有是處，當時學者必有信之，後必有繼之，倘其說於當時人猶不敢從，後之儒者又不敢紹而光大之，則其說當有未盡善盡當之處，其後隔以時日，又為後人所信從者，是信者昧於事之所然，或怯前儒之名，遂不復究其所由來之故。辨偽者能審察流傳之跡而判之，亦可窺見是非之真偽也。

第九、以先儒誤釋證

凡偽託者，非盡出於虛構，而必有啓其依託之端者。故儒者治學，偶一誤失，遂成偽託者之藉口，由是聖人經旨，兼陳異說，純駁互見。故辨偽者必溯其源，探其本，以明依託者之由，然後斷其是非虛妄。

第十、以古人之迷信證

古人皆以天地自然為宗，觀其行事，亦循天地自然之變，故聖人之將出，天必示以祥瑞；譬如天雨之先，必有雲氣之象也。故河圖洛書之出，實為易將興之先兆耳。惟後之依託者，不悟古人有此迷信，穿鑿附會，以圖書為易之本，有乖古人之意，故辨偽者能體悟古之原意而證之，則依託附會者，不難而破。

第十一、以史實證

古代寶物器皿，其關係重大者，流傳始末，史志必有紀錄，故其存散，均可稽考。惟後之好事者疏於考古，以自古失傳之物，妄自附會臆說，以為得古之真傳，學者不察，遂受其欺。故辨偽者，諸事稽之史實，則依託者無可遁形矣。

第十二、以史闕實徵證

一學者之言行舉止，稍有關乎生民教化者，後人均有論述，況先聖之經典，是故前人罕有論述之事，而後人突然依託古人者，當不足置信。故辨偽者，必旁徵史籍，若其無實可徵者，必出於附會無疑。

第十三、以人物之言行證

言行心志之表也；欲知一人之學如何，則可從其言行而窺察之。故辨偽者深考其人之行止，以明其學之所自出，及其立說之旨，是亦辨偽之一法。

第十四、以情理證

凡依託附會者，因其事非出於實然，故多牽强不合情理者。辨偽者諸事能揆之以情，則破綻自露。

第十五、以時代先後證

凡依託附會者，必欲羼雜前人之說，或竄前人之文，以求合於私意，然後得以取信於人，惟失於時代所限格，致露破綻，為辨偽者所乘。

第十六、以理證

凡事之乖謬，其晦於理故也，依託者往往强就己意，其事質於理，雖不可通，則其亦有所不顧。故辨偽者得以事理揆之，以揭其妄誕。

第十七、以聖人之道證

怪力亂神，聖人不言也。聖賢倡言立說，皆本之於生民有用之事，或關係經國大綸，若僅求一身之長壽，而無益於世道人心者，聖人弗為也。僞託者忘聖人之用心，妄自附會，殊失聖賢之旨。辨偽者驗諸聖人之道，則事之真偽，不攻自破矣。

在這兩位大家的提倡及影響之下，乾嘉以後，古籍辨僞的風氣更加興盛了。比如孫志祖及范家相等人，考證出《孔子家語》是王肅所僞造的，在學術界掀起了相當大的震盪。又比如劉逢祿及魏源研究公羊學，前者著《左氏春秋考證》，將《左傳》判爲與《春秋》毫不相干、後人依託的一部書；後者著《詩古微》，只信齊、魯、韓三家，不信《毛詩》。此外，邵懿辰著《禮經通論》，把《逸禮》判爲僞書；朱彝尊著《經義考》，對群經的辨僞也下了很大的工夫；萬斯大著《周官辨非》，專門討論《周禮》；萬斯同著《群經疑辨》，雖不專辨僞，也有辨僞的內容；這些，都是驚動學術界的大事。而推動它們的，正是古籍辨僞學了。

清代初年，能夠繼承宋濂《諸子辨》及胡應麟《四部正譌》的餘風，對群書加以考訂辨正，而給後人巨大的震撼力量的，應該是姚際恆了。姚際恆雖然著有《九經通論》，對閻若璩《尚書古文疏證》有些影響，不過，他最驚人的著作還是份量不太大的《古今僞書考》；

顧頡剛曾經說過❼：

《古今僞書考》只是姚際恆的一册筆記，並不曾有詳博的敍述，它的本身在學術上的價值可以說是很低微的。但他敢於提出「古今僞書」一個名目，敢於把人們不敢疑的經書（《易傳》、《孝經》、《爾雅》等）一起放在僞書裏，使得初學者對着一大堆材料，茫無別擇，最易陷於輕信的時候，驟然聽到一個大聲的警告，知道故紙堆裏有無數記載不是眞話，又有無數問題未經解決，則這本書實在具有發聾振聵的功效。所以這本書的價值，不在它的本身的研究成績，而在它所給予初學者的影響。

雖然顧頡剛對《古今僞書考》有所非議，不過，他却也道出該書價值之所在。雖然當時古籍辨僞相當興盛，雖然部分經學的眞僞地位在當時已開始動搖，不過，在那個舊時代裏，敢於將經書及其傳注並排在其他僞書的行列裏，就只有姚際恆一個人。單以此點而言，就比前人跨進一步；而其在學術上的歷史地位，的確已不可動搖。因此，它對後人的影響，誠如顧頡剛所說的，是「具有發聾振聵的功效」。

《古今僞書考》分經、史及子三類，考辨古籍共九十餘種，辨語略爲簡單，而且也多採前人舊說。除完全僞書之外，另分「有眞書雜以僞者」、「有本非僞書而後人妄託其人之名者」、「有兩人共此一書名今傳者不知爲何人作者」、「有書非僞而書名僞者」及「有未足定其著書之人者」等幾類。胡應麟《四部正譌》卷末將僞書分爲數類，即：

全偽者：三易、三墳等。

真錯以偽者：列禦寇、司馬法等。

偽錯以真者：黃石公、鶡冠子等。

真偽錯者：管仲、晏嬰等。

真偽疑者：元包、孔叢等。

殘者：鬻熊
補者：元倉
譌者：繁露
——皆不得言偽。

名譌者：素問、握奇
晚出者：穆天子傳、周書
——其書非偽。

雖然姚際恆的分類沒有胡應麟的精細，不過，他析出另外兩類「有兩人共此一書名今傳者不知爲何人作者」及「有未足定其著書之人者」，又可以補充前人不足之處了。

到了十八世紀，學術界又出現了另外一位影響深遠的辨僞學家崔述。崔述著有《考信錄》十二種三十六卷，內容有《補上古考信錄》、《唐虞考信錄》、《夏考信錄》、《商考信錄》、《豐鎬考信錄》、《洙泗考信錄》、《孟子事實錄》、《續說》及《附錄》等等，除了各種史實的考辨之外，對古籍眞僞的考訂，也涉及非常廣。

時人蘇慶彬曾歸納崔述有關古籍辨僞學的方法爲二十二條，玆過錄於次以供參考：

第一、以篇名篇數證

與前文胡渭第一例同（例略，下同）。

第二、以文體證

與胡第二例同。

第三、以名詞證

與胡第三例略同。

第四、以辭意證

人之質性才情不同，則其吐屬亦異，故格調有高下之分，古今人之華樸之不同，其文辭自別，觀三代之際，民實質樸，故辭簡而意高，戰國以後，文辭流於華豔，已不類於三代，魏晉更甚焉。考辨者深於文辭之變，故以辭意證之，可見其事之虛妄。

第五、以文法證

事之實然如是者，然後言之成理。蓋偽託者，因遷就舊文，並復加己意，以致事實乖違，句法不全，文理不通，其亦出於不得已也。故辨偽者以文法斷之，其是非亦判然而明。

下分㈠文義不通，㈡首尾不全，㈢重複堆砌。

第六、以古人行文之法證

蓋古人行文，記其意而已，故文辭簡略，要之讀者意會之。不若今人著述，事無分輕重皆詳記之。然後之學者，往往不悟古人行文之法，而申引古人之說，畫蛇添足，遂致事實乖誤。故精於辨偽者，以古人之行文之慣例證之，事之舛謬自見。

第七、以地理證

凡一地名之設置，與地域之劃分，史志均有記載。惟偽託者，或限於時日，未能旁徵博引，貫通地理沿革，並昧於地理形勢，或以後出之地名而蒙前，或以此域而作彼域，故以地理學而證之，可見事之真偽虛妄也。

下分㈠以後之地名蒙前，㈡以道里證，㈢以方位證。

第八、以時代風尚證

與胡第七例略同。

第九、以時代思想證

按每一時思想之興，非憑空而起，其流變有緒。然亦必有其相異之處，卽時代思想之特色。惟僞託傅會者，未能深究每一時代思想之觀念，常以後代之觀念而蒙前代，以致是非顚倒，事實前後乖謬。是故辨僞者，以時代思想證之，則眞僞自明矣。

第十、以學者思想系統證

大凡一學者，其說必有所主，其學必有所自。雖時久而學進，或有修改前說之處，罕有絕然前後相悖者。是故辨僞者從其思想之系統辨別之，則可見後人僞託之謬。下分㈠思想矛盾，㈡思想淵源。

第十一、以文物創制時序證

文物之創制，非盡成於一時，風會之開，必有所漸，雖聖人不能一世盡創也。文物之創設，時愈久而愈備。惜僞託傅會者疏於考究當時之文物，是以後世有而謂上古亦有之，其不知文物之進化程序故也，此誠使辨偽者得一隙而破其妄。

第十二、以時勢證

後人傅會之說，多有虛妄荒誕者，而千古大儒，不敢疑義，反以其事為實然，遂使古人受誣於地下，蓋昧於時勢故也。是故辨偽者，事事揆諸當時情勢，亦足以破後人之虛構。

第十三、以曆法證

古人記事，必有所繫，如《春秋》所謂「春王正月」，是用周正。然春秋之際，諸侯雜用夏正者有之，故當時典籍，周夏兼用。而後之學者，疏於推尋，則妄加傅會，遂致古史謬種流傳。故辨偽者以曆法而推究其偽，亦一法也。

第十四、以氏族證

古人尚氏族，故譜牒之學甚盛，雖源遠流長，亦多可稽考。惟偽作者，因求合於私意，縱其氏族世系不合，亦在所不顧。故辨偽者驗其氏族世系，亦足以斷其是非真偽。

第十五、以官制證

歷代官制有名異而實同，有名同而實異者，不可混而論之也。然偽撰者不究名實，常以前制論後事，或以後之政制而斷前，皆不合於史實。故辨偽者覈其官之名實，則偽託與附會者不攻自破矣。

第十六、以禮制證

古人重禮，故載禮制之文，至為詳備。然亦有好事者格於各時代之禮制有所不同而不自知，妄自附會假託，或以後世之禮制而例古，以致事實不符，辨偽者以歷代之禮制驗之，誠足以破後世傅會之荒誕也。

第十七、以名稱證

與胡第三例同。

第十八、以史實證

與胡第十一例同。

第十九、以時間證

凡偽作或傅會者，其說以傳聞為據，或雜采舊文以湊合，事既不真，則時間當難符合。作偽者未暇一一查考，致時與事相違，故辨證史實之真偽者，質之以時，殊足以破其偽。

下分㈠時不脗合，㈡年齡不符合。

第二十、以生理證

古人之於聖賢，以為天生之，與凡俗之人有所不同。故好事者多穿鑿附會，以神其說。儒者尚信是說，愚者豈有不篤信之乎。如史家猶信漢高祖之母感龍受孕而生，其事全無依據，何可信服。故凡以神說其事蹟以欺人者，以生理之知識證之，足以破其虛妄也。

第二十一、以情理證

與胡第十四例同。

第二十二、以聖賢之言行證

與胡第十三略同。

崔述是史學家，他推崇古籍辨偽學，發揮各種辨偽方法，主要的目的是在考訂歷史，所謂「歷考其事，滙而編之，以經爲主，傳注與經合者則著之，不合者則辨之，而異端小說不經之言，咸辟其謬而刪削之」❽，就在他的刪削之下，古代史及秦漢以前古籍紛紛動搖；他所用的方法的淩厲，於此可見了。

閻若璩、胡渭及崔述，可以說是清代中葉以前三位最卓越的古籍辨僞學家。他們挾雷霆萬鈞的辨僞方法，分別在不同的學術領域裏造就驚人的成績——閻若璩在經學裏，將《古文尚書》判爲僞書；胡渭在理學裏，直搗宋儒理學的老巢，將其根據地完全摧毀；而崔述在史學界裏，更是驚人，「推翻了《秦本紀》的三皇，《春秋緯》的十紀，刪去了世傳的上古十七天子，斷包犧、神農氏沒，子孫不復嗣爲帝，使中國史頓時縮了一大段」；而他們之所以擁有這些成就，幾乎就是大用了古籍辨僞學了。

編纂於這個時期的《四庫全書總目提要》，雖然是官方的代表作品，對於古人不能多所批評，却也接受了這股學風的影響，對古籍的眞僞及其作成時代非常留意，而且，也幾乎成爲館臣們撰述提要的一個步驟，試讀其中的一則《凡例》：

《七略》所著古書，卽多依託，班固《漢書·藝文志·注》可覆按也。遷流洎於明季，譌妄彌增，魚目混珠，猝難究詰。今一一詳核並斥而存目，兼辨證其非；其有本屬僞書，流傳已久，或掇拾殘剩，真贗相參，歷代詞人已引為故實，未可概為捐棄，則姑錄存而辨別之。大抵灼為原帙者，則題曰「某代某人撰」；灼為贗造者，則題曰「舊本題某代某人撰」；其踵誤傳譌，如呂本中《春秋傳》，舊本稱「呂祖謙」之類，其例亦同。至於其書雖歷代著錄而實一無可取，如《燕丹子》、陶潛《聖賢群輔錄》之類，經聖鑒洞燭其妄者，則亦斥而存目，不使濫登。

這則《凡例》已經清楚地表明，凡是被降斥在《存目》裏的書，都是「多依託」者；即使是登錄《總目》而眞僞可疑者，也「姑錄存而辨別之」；可知四庫館臣對古籍眞僞及其作成時代非常留意，「不使濫登」了。試讀《鬻子》的《提要》：

> 劉勰《文心雕龍》云：「鬻熊知道，文王咨詢。遺文餘事，錄於《鬻子》。」則裒輯成編，不出熊手，流傳附益，或搆虛詞，故《漢志》别入小說家歟？獨是僞《四八目》一書，見北齊陽休之序錄，凡古來帝王輔佐有數可紀者，靡不具載；而此書所列禹七大夫：皋陶、杜子業、旣子施、子黯、季子寧、然子堪、輕子玉；湯七大夫：慶誧、伊尹、湟里且、東門虛、南門蝡、西門疵、北門側，皆具有姓名，獨不見收，似乎六朝之末尚無此本。或唐以來好事之流，依仿賈誼所引，撰為贋本，亦未可知。觀其標題甲乙，故為佚脫錯亂之狀，而誼書所引則無一條之偶合，豈非有心相避，而巧匿其文，使讀者互相檢驗，生其信心歟？且其篇名冗贅，古無此體，又每篇寥寥數言，詞旨膚淺，決非三代之舊文。

在這短短的二百多字內，幾乎無一句不是考訂該書；而所考訂的，幾乎無一字不是涉及其眞僞及作成時代；舉此一例，即知《四庫全書總目提要》對古籍辨僞學的重視了。

繼而起的，有劉逢祿及魏源等人，他們都屬於晚清的學者，前文已略爲論及。

到了清代末葉，大用古籍辨僞學而在學術界造成譁然大波的是康有爲。康有爲光緒十七年在他的學生陳千秋及梁啓超的贊助下，完成了《新學僞經考》，將所有古文經判爲劉歆一手僞造，主要目的是湮沒淆亂孔子的微言大義，以便爲王莽篡漢鋪路。總結康有爲所提呈出來的證據，其犖犖大者約有下列五端❾：

第一、秦始皇焚書，六經未嘗亡缺。博士所職之書不焚，漢博士多係原秦博士，故書得入漢。

第二、《史記》無河間獻王徵求民間書及魯共王壞孔壁得古文書的記載。

第三、《史記》本無古文經說，其中之古文經說及有關古文的記載，皆為劉歆偽竄。

第四、《漢書》本為劉歆所作，班固不取僅二萬言。歆在《漢書》中編造史實，為其偽經張目。

第五、劉歆欲彌縫其作偽之迹，在校中秘書時，於一切古書多所羼亂。

經過他的考訂，所有古文經全是僞造和大騙局；一如錢玄同所說的：

康氏這書，全用清儒的考證方法。……他這書證據之充足，論斷之精覈，與顧炎武、閻若璩、戴震、錢大昕、段玉裁、王念孫、王引之、俞樾、黃以周、孫詒讓、章太炎（炳麟）師、王國維諸人的著作相比，決無遜色，而其眼光之敏銳尚猶過之；求諸前代，惟宋之鄭樵、朱熹，清之姚際恆、崔述，堪與抗衡耳。古文經給他那樣層層駁辨，凡來歷之離奇，傳授之臆測，年代之差舛，處處都顯露出偽造的痕跡來了。於是一千九百多年以來學術史上一個大騙局，至此乃完全破案。「鐵案如山搖不動，萬牛回首丘山重」，《新學偽經考》實在當得起這兩句話⑩。

古籍辨僞學在康有爲的催使和鞭策之下，幾乎成爲狂風暴雨或萬軍鐵騎，肆意地蹂躪了學術界，爲後世帶來不堪設想的遺害。實際上，康有爲在證據上及推理上，都出現了太多的紕漏，錢賓四先生《劉向歆父子年譜》已經舉出二十八個反證加以批駁；錢先生又說：

此姑舉其可略論者述之，其他牽引既廣，不能盡辨。余讀康氏書，深病其牴牾，欲為疏通證明，因先編《劉向歆父子年譜》，著其實事。實事既列，虛說自消。元、成、哀、平、新莽之際，學術風尚之趨變，政制法度之因革，其迹可以觀。凡近世經生紛紛為今古文分家，又伸今文，抑古文，甚斥歆、莽，偏疑史實，皆可以返。……抑余於康氏，非好為詆訾也。能深讀康氏書，心通其曲折，因以識其疵病而不忍不力辨，康氏有知，當喜不當怒也。其他諸家，不能一一及，康氏之說破，則諸家如秋葉矣。

根據錢先生這段話，就可以推測出康有爲在證據及推理方面出了很大的問題，以致錢先生「姑舉其可略論者述之」，尚有二十八例之多；易而言之，康有爲是誤用而不是善用了古籍辨僞學。

古籍辨僞學發展到清代，固然已經成爲學術主流之一，不但考據學家利用它來審訂古籍，經學家也利用它作爲學術爭論的武器，不過，到了清代末年，由於爭論轉激，衝突過份尖銳，又涉及意氣和情感，於是，古籍辨僞學乃淪爲被利用的工具和手段，以便達致學者心中的目的，實在是一件很值得惋惜的事。總而言之，這個大用時期的古籍辨僞學自有其輝煌的一面，但是，到了末期，却爲今文學家所誤用，以致產生了許多學術遺害，一直到今天，還有待於我們的清理。

❶ 見梁著第十四章《清代學者整理舊學之總成績》。梁著第十三至十六章，都是題此篇名；第十三章的副題是「經學，小學及音韻學」，第十四章是「校注古籍，辨僞書，輯佚書」，第十五章是「史學，方志學，地理學，傳記及譜牒學」，第十六章是「曆算學及其他科學，樂曲學」；其中第十四章所討論者，當是總成績的橫剖面（校注古籍，已包括訓詁、文字及音韻學），與其他各章討論縱剖面之學術單科不同，以之概括清人學術總成績，似乎也說得過去。

❷ 見顧編《古籍考辨叢刊》第一集《序》，北京中華書局出版，第七頁。

❸ 見顧著《日知錄》卷十八，《竊書》條。

❹ 此書編入《續皇清經解》內，翻檢甚易。

❺ 孫文發表於《文獻》第十四、十五及十六期內，北京圖書館編，書目文獻出版社出版。

❻ 蘇撰有《閻若璩胡渭崔述三家辨偽方法之研究》，發表於香港新亞書院《學術年刊》第三期內。

❼ 見顧著《古今偽書考·序》，在《古籍考辨叢刊》第一集內，第二五三頁至二五四頁。

❽ 見《考信錄提要·釋例》。

❾ 此處過錄自孫欽善《古代辨偽學概述》；又本章若干部分皆取材自孫文，不敢掠美，謹此識明。

❿ 見錢玄同《重論經今古文問題》，在《古史辨》第五冊內。

附論：唐人的辨僞學

唐代的文化，在文學和藝術裏自有它的高度成就，但對於古文籍的研究卻還是一個啓蒙時代，大致說來，那時所提出的古籍眞僞問題不過顯現了些模糊的印象。不過在這二百多年之中，究竟產生了三個傑出的人物，那就是劉知幾、啖助、柳宗元。

劉知幾著的《史通》是我國自古以來講作史方法的第一部有系統的著作，他發揮出凌厲無前的勇氣，用了極深刻的筆調對於不論多麼高大的史界權威作了不容情的批判。這書裏的《疑古篇》，利用了晉代出土的《竹書紀年》與儒家經典的矛盾，加上三代以下統治者的各種政治措施，指出所謂古聖人、古帝王的岸然道貌和政治上的雍容和平的氣象都是經過了後人塗飾的結果。他的《惑經篇》，從《春秋經》書法的「事同書異」的參差之下，指出了這部經典必是因襲舊文，而不是孔子先定了義例做出來的；《春秋》既不是孔子所作，當然不該享受後人過分的尊崇，看作一部完善無缺的東西。《申左篇》則是從史事的豐富上指出《左傳》的優點，遠勝於《公羊》和《穀梁》等書憑了傳聞和臆斷來說《春秋》。這三篇文字是一意相承的，就是：我們要知道古代的眞相，就不能太相信經典；經典裏的《春秋》只是經過刪削的魯國舊史，並不會含有聖人的大道理；《春秋》的《經》既是舊史，所以《春秋》的《傳》也應該注重舊史料而不需要主觀的猜測。這便是他把經學化爲史學的創見！這

《疑古》、《惑經》兩篇，因爲推翻人們的信仰太劇烈了，所以作者捱了一千多年的詬罵，然而到了今天卻證明了他的目光的無比銳利。至於他的《孝經注議》，考出鄭玄並沒有注過《孝經》，現行的鄭《注》是假託的，證據確鑿，也是一篇很好的考證文字。

啖助是《春秋》專家，他的行輩稍後於劉知幾，也可說是同時人，所以他受劉氏的影響是很可能的。他也站在歷史事實的立場上指出《左傳》的勝於《公》、《穀》。他說：從《左傳》記載各國史事的不同方式上，可以知道《左傳》確實得到各國的史實做底本；不過從經學的眼光看來，《左傳》解《經》自有其錯誤之處。他所發的疑問，到今天已經清楚地解答，原來這些錯誤是西漢末年人把左氏書改編爲《春秋傳》時所加上的釋《經》的話語鬧出來的。《左傳》裏所根據的各國史書是很早的材料，而釋《經》部份卻是後出的，其間約有五六百年的距離，哪會取得一致。至於《公》、《穀》的妄說，他也一一批判，這就開了「《春秋》三傳束高閣，獨抱遺經究終始」的超家派的研究風氣。他的弟子趙匡和陸淳繼承他的工作，說作《傳》的左氏不是左丘明，《論語》裏的左丘明是孔子以前的人，而作《傳》的左氏是孔門後的門人，兩個人應當分開。這分明他已經打破了劉歆的「左氏好惡與聖人同，親見夫子」的誑語，也依稀發覺了《論語》中的「巧言、令色、足恭，左丘明恥之，丘亦恥之」一章的僞託。到了清代，今文經學家劉逢祿、康有爲、崔適等所以能把《左傳》問題徹底解決，實在由於啖助們開了先路的功勞。

柳宗元從陸淳受學，也即是啖、趙的繼承者，他接受了這超家派的治《春秋》的方法，就把這方法移過來研究諸子，於是知道《論語》成書距孔子甚遠；列子不是鄭穆公時人，《列子》書中甚多增竄；《文子》是剽竊《孟子》、《管子》等書而成；《晏子春秋》是齊國的墨家所作；《鬼谷子》、《鶡冠子》、《亢桑子》等都是後出的僞書。後來宋高似孫的《子略》，明宋濂的《諸子辨》，都是從他這幾篇文章引伸出來的。

唐代的古籍考辨工作既由他們幾位號召了起來，到宋代又有歐陽修、程頤、鄭樵等人繼續着這工作，積累既多，注意力越深，方面也就越來越寬闊，於是朱熹就作了更深更廣的開拓。朱熹是所謂「道統」的繼承者，他仿效了《春秋》的體裁作《通鑑綱目》，具體地使用了「三綱」的敎條來一一評定前代的歷史人物，無疑是一個擁護舊道德的領導人；但是從另一方面看，他實事求是地從事於考辨古籍的工作，敢於推倒腐朽的傳統的說法，卻是很具有進步意義的。他在這一方面，先作了《詩序辨說》，揭破整篇《詩序》是沒有得到甚至極端違反《詩經》的眞意的敍述；繼作《孝經刊誤》，證明《孝經》中有許多話是抄錄《左傳》而又抄得不像樣的，必不是孔子所說。他又屢次辨《古文尚書》，說：「孔壁所出《尚書》……皆平易，伏生所傳皆難讀。如何伏生偏記得難底，至於易底全記不得？」又說：「凡易讀者皆《古文》；況又是科斗書，以伏生《書》字文考之方讀得，豈有數百年壁中之物安得不訛損一字？」爲什麼伏生口傳的都難讀而藏在壁中斷爛難認的偏又易讀，他提出這個問題確實使得《僞古文尚書》受到了致命傷的打擊。他想整理《尚書》，可是感到自己的年齡已來不及，只得交與蔡沈作了。蔡沈遵守了他的意思，在所作的《書集傳》裏，每篇下註明「《古文》、《今文》皆有」或「《今文》無，《古文》有」，使讀者們一覽之下即了然於《今文》和《古文》的區別，《僞古文》馬上失掉了若干高級知識分子的信仰。朱熹又揭破所謂「孔安國」所作的《傳》和《序》（卽所謂「書大序」）的僞，說西漢人文字粗枝大葉，哪會這般軟郎當地，牽連及於《孔叢子》，說它正和這個「孔安國」的文字一致，這就啓發了清代學者來判定王肅作僞的案子。朱熹在漳州時刋《四經》，把《易經》和《易傳》分開，把《書經》和《書序》（卽所謂「書小序」）分開，把《詩經》和《詩序》分開，把《春秋》和《左傳》分開。這樣地《經》歸《經》，《傳》歸《傳》，看似平常，而實在是他的歷史觀念的高度發揮。這不僅使《經》和《傳》不相混，實際上卻是把兩周的史事、制度、學術放在一邊，戰國、秦、漢間所傳的古代史事、制度、學術放在另一邊，因而劃出了兩種不同時代的文化的分野。他曾在給呂祖謙的信裏說：「其（經）可通處，極有本甚平易淺近，而今《傳》、《註》誤爲高深微妙之說者。」這就是說：兩周的《經》本是供人生日用的平常的東西，到了戰國以後的《傳》、《註》卻化爲高妙的聖道，它的質是變了！爲了他這般地分開《經》、《傳》，所以傳到清代，崔述要考信於《經》而屏去《傳》、《記》的種種附會，龔自珍又要寫定羣經，替《六經》正名，釐定了各種經書的性質。

朱熹的考辨工作最有成就的是《經》，但他是「禪道、文章、《楚辭》、詩、兵法，事事要學」的人，學問廣博，各種書籍他都注意到，因此凡有疑問的地方，他決不肯輕易放棄提出問題。可惜他的讀書筆記《困學恐聞編》不曾傳下來，我們只能就他的弟子們所記的

《朱子語類》裏抽出他對於六十種書籍的考辨。

由於南宋的偏安，朱熹的講學區域不出今福建、江西、湖南、浙江等省。他死後，他的弟子們和他的信仰者形成了一個極有勢力的學派；因爲國都所在的關係，這個學派以浙江人爲最多。明代的胡應麟和清代的姚際恆都是浙江人，他們遙遙地接受了他的考辨古文籍的見解和方法。

胡應麟是個目錄學家，他有清楚的頭腦、豐富的知識，可是沒有深入的研究。他從許多目錄書裏，尤其是馬端臨《文獻通考·經籍考》裏，把歷來抉出的僞書或認爲著者有疑問的書都摘錄下來，編成一部比較有系統的《四部正譌》，做一番總結工作，使人看了可以得着一個概括的觀念。他在結論裏寫出了考覈僞書的八種方法，又統計了僞書的門目而說：「凡四部書之僞者，子爲盛，經次之，史又次之，集差寡。凡經之僞，《易》爲盛，《緯候》次之。凡史之僞，雜傳記爲盛，瑣說次之。凡子之僞，道爲盛，兵及諸家次之。凡集，全僞者寡，而單篇別什借名竄匿甚衆。」這也是一個比較全面的認識。

姚際恆生於清初「經學即理學」的反理學的學術空氣中，他和同時的黃宗羲在《周易》裏辨《河圖》、《洛書》，閻若璩在《尚書》裏辨《僞古文》作同方向的努力。他一生用了自己的眼光研究經書，把唐人「獨抱遺經究終始」的方式擴大開來，作成一部一百六十餘卷的《九經通論》；其中有「別僞例」，撇去許多僞書和僞說。這書爲當時所憎恨，不能刻出，也不容收入《四庫全書》的《存目》，連書名也若存若亡；若不是鮑廷博把他的《古今僞書考》刻在《知不足齋叢書》裏，連他這個人的姓名也就永遠埋沒了。這部《僞書考》只是他的不經意之作，精采無多。它的方式也正和《四部正譌》相似。胡應麟在《正譌》裏的分類，是（1）全僞，（2）眞錯以僞，（3）僞錯以眞，（4）眞僞錯，（5）眞僞疑，（6）殘、補、譌，（7）名譌，（8）出晚。姚氏這書的分類，是（1）僞書，（2）有眞書雜以僞者，（3）有本非僞書而後人妄託其人之名者，（4）有兩人共此一書名，今傳者不知爲何人作者，（5）有書非僞而書名僞者，（6）有未足定其著書之人者。這很可以證明姚氏所受的胡氏影響之深，而這兩人又都受了宋濂的影響。不過姚氏是一位經學家，所以經書部門的考辨遠高出於胡氏，最可惜的是他的《九經通論》的別僞部分不曾摘要留在這裏。

（錄自顧頡剛《古籍考辨叢刊・後記》）

第五章　方法

將先賢考辨古籍眞僞的方法歸納爲條例的，首推明代的胡應麟，他在《四部正譌》的卷末裏，即揭櫫了八種「覈僞書之道」，他說：

> 覈之七略以觀其源，覈之群志以觀其緒，覈之並世之言以觀其稱，覈之異世之言以觀其述，覈之文以觀其體，覈之事以觀其時，覈之撰者以觀其託，覈之傳者以觀其人。覈茲八者，而古今贋籍亡隱情矣。

雖然只有區區的八種，却已經統攝了辨僞大部分的方法。往後，踵其事者頗有人在，胡適之先生《中國哲學史大綱》、梁任公《中國歷史研究法》、《中國近三百年學術史》及《古書眞僞及其年代》等書，都曾經總結前人的經驗，歸納爲各種可以遵循的途徑。其中，尤以梁任公《古書眞僞及其年代》所臚列的，更是縝密周詳，很值得初學者參考。茲過錄如下：

甲　就傳授統緒上辨別

㈠從舊志不著錄，而定其僞或可疑；
㈡從前志著錄，後志已佚，而定其僞或可疑；
㈢從今本與舊志所說之卷數篇數不同，而定其僞或可疑；
㈣從舊志無著者姓名，而定後人所題姓名爲僞；
㈤從舊志或注家已明言爲僞書，而信其說；
㈥後人謂某書出現於某時而彼時人未見此書，可斷其爲僞；
㈦書初出現時已生問題，或有人證明爲僞造，則不能信其眞；
㈧從書之來歷曖昧不明，而定其僞。

乙 從文義內容上辨別

㈠從字句罅漏處辨別：

㈰從人之稱謂上辨別：

(A)書中引述某人語，則必非某人作，若書是某人作，必無某某曰之詞；
(B)書中稱謚的人出於作者之後，可知是書非作者自著；
(C)說甲朝人之書，却避乙朝皇帝之諱，可知一定是乙朝人作的。

㈪用後代的人名地名朝代名：

(A)用後代人名；
(B)用後代地名；
(C)用後代朝代名。
(寅)用後代的事實或法制：
(A)用後代的事實：
(a)事實顯然在後的；
(b)預言將來的事，顯露僞迹的；
(c)僞造事實的。
(B)用後代的法制。
(二)從抄襲舊文處辨別：
(子)古代書聚斂而成：
(A)全篇抄自他書的；
(B)一部分抄自他書的。
(丑)專心作僞的書，剽竊前文的。
(寅)已見晚出的書而勦襲的。

㈢從佚文上辨別：

㈠從前已說是佚文，現在反有全部的書，可知書是假冒；

㈡在甲書未佚之前，乙書有引用，而甲書今本却無乙書所引之文，可知今本爲僞。

㈣從文章上辨別：

㈠名詞，

㈡文體，

㈢文法，

㈣音韻。

㈤從思想上辨別：

㈠從思想系統及傳授家法辨別；

㈡從思想系統與時代的關係辨別；

㈢從專門術語與思想的關係辨別；

㈣從襲用後代學說辨別。

梁任公總結前人辨僞的方法，歸納爲兩大系統，即「就傳授統緒上辨別」及「就文義內容上辨別」；前一系統只得方法八種，後一系統分五門，每門下分繫方法若干種；或再分爲若干小門，下又分繫各種方法；總結這兩個大系統，共得方法三十二種，比胡應麟所得者多了四倍，可謂縝密周詳極了。

雖然辨僞方法的種類非常繁多細密，而且不嫌其重複紛沓，但是，分析起來，不外只是從三個不同的層面着手而已，那就是作者、本書及流傳。以下即根據這三個層面，將前人的方法重新組織排比，化繁複爲便省，馭紛沓於簡一，又補充所未完備者，逐項逐條說明如次，供初學者參考採用。

一、從編著者來考察

考辨古籍的眞僞，首先可以從該書的作者或編者着手。任何書籍都應該有作者，至少也應該有編者；對其編著者加以考察及深究，應該是瞭解古籍眞僞的簡便途徑。

如果從編著者着手，我們可以根據下列三個不同的角度來考察：

第一、編著者的虛實

有些古籍表面上看起來似乎確有編著者，不過，當我們仔細深究起來，這名編著者的有無虛實就大成問題。

例如世傳有《亢倉子》一書，題爲周庚桑楚所著，一卷（此據《四庫提要》，宋濂《諸子辨》作五卷）。《莊子》雖有《庚桑楚篇》，並且以爲他是老聃的學生，偏得老聃之學，不過，莊周好設寓言，庚桑楚其人之有無頗成問題，司馬遷在《莊子列傳》裏早就說過：「畏累虛、亢桑子之屬，皆空無事實。」然而，世傳却有其著作《亢倉子》一書，焉不可怪？柳宗元說：「蓋周所云者尚不能有事實，又況取其語而益之者，其爲空言尤也。」指責得非常正確。根據劉肅《大唐新語》及晁公武《郡齋讀書志》的記載，原來天寶年間詔號《亢桑子》爲《洞靈眞經》，求其書而不得，襄陽處士王士源謂《莊子》庚桑子即亢桑子，乃合諸子文義類者而編成之；然則其爲僞書，蓋可斷言矣。實際上，只要我們瞭解庚桑楚其人之爲虛構烏有，就已經知道此書的價值只到甚麼程度了。

又例如世傳有《子華子》一書，舊題周程本所撰，十卷。子華子一名，首見於《莊子·讓王篇》，記載他見韓昭僖侯。《讓王篇》屬於雜篇，自非莊周所親撰；則子華子之爲虛構人物，可能性非常高。《呂氏春秋·審爲篇》把《讓王篇》的故事重抄一遍，沒有甚麼新義。《呂氏春秋》又在《貴生篇》轉載了一段子華子有關貴生的言論，雖然頗有可取之處，恐怕也是依託之作，未必眞有子華子其人。今傳《子華子》有劉向《序》一篇，說：「《子華子》凡二十有四篇，以相校復重，十有四篇，定著十篇。……子華子程氏，名本，字子華，晉人也。」這位虛構人物不但有名有姓有鄉里，而且又有單行本著作十篇，事情甚是蹊蹺。書中說：「秦襄公方啓西戎，子華子觀政於秦。」《莊子·讓王篇》謂子華子見韓昭僖侯，本書謂子華子見秦襄公，韓昭僖侯和秦襄公二人相距二百多年，子華子果眞如此長壽嗎？本書及劉向《序》之爲僞，從其撰著者之爲虛構人物，似乎就可以判定，更遑論其他了。

第二、編著者的才學

除了編著者的虛實有無之外，鑑定古籍的眞僞還可以從編著者的才學來考察和深究。所謂才學，包括詞藻文筆及哲學思想；編著者的詞藻文筆及哲學思想應該與他的著作相符合，裏外一致，彼此相應，才合乎邏輯。《莊子》內篇文筆雄健汪洋，思想精絕超拔，與莊周其人之才學正相符合；然而，我們再考察部分的外篇以及大部分的雜篇，文筆不但柔弱粘滯，思想也浮蔓膚淺，和莊周的才學相差得太遠，說它們也是莊周所寫的，實在很難使人信服。因此，考察編著者的才學以便和古籍作對比的研究，是鑑定古籍眞僞的另一條方便之路。

這裏，舉兩個例子來說明：

《龍城錄》二卷，世傳爲柳宗元所撰；徧記唐代朝野各遺聞軼事，短者數十字，長者二、三百字，計四十餘則。書中載陳言故實，爲文人騷客所樂於徵用，所以，流傳頗廣。此書每則之末，時有案語，如首則案語云：「嶠精明天文，即袁天剛之師也。」第四則云：「丐者，豈非異人乎！」第五則云：「後皆信然也。」這些案語不但簡短，而且也沒甚麼特別的意義。朱熹曾根據此書文筆之平凡庸俗，與柳宗元的詞翰文筆不相配，而判定是部依託的僞書；他在《朱子語錄》裏說：

> 柳文後《龍城雜記》，王銍性之所為也。子厚敘事文字多少筆力，此《記》衰弱之甚；皆寫古人詩文中不可曉知底於其中，似暗影出。

此外，此書記載了許多神道怪異的故事；開卷第一則，即記述吳嶠據天象以占人事；第二則記魏徵好醋芹，日食三盃；第三則記道士王遠知遇老人之怪異事情；像這類的事情，幾乎全書都是。柳宗元最痛恨各種怪力亂神，更不相信天人感應的說法，他怎麼會是這部充滿怪異的小書的編著者呢？宋吳子良在《荊溪林下偶談》卷一裏，早就有此懷疑，他說：

> 子厚嘗曰：「聖人之道，不窮異以為神，不援天以為高。」其《月令論》《斷刑論》《天說》《褚說》《非國語》等篇，皆此意；而《龍城錄》乃多眩怪不經，又何也？

吳子良雖沒明說其偽，不過，他已經知道，柳宗元的哲學思想和本書是完全不相配的。

南北朝有《劉子新論》一書，凡十卷五十五篇。此書作者說法頗不一致，《直齋書錄解題》卷十引袁孝政《劉子·序》說：「晝傷己不遇，天下陵遲，播遷江表，故作此書。時人莫知，謂為劉勰。或曰劉歆、劉孝標作。」有劉歆、劉孝標、劉勰及劉晝四人之不同。《四庫全書總目提要》根據書內引文及東漢故實，批駁劉歆說之不足信；又根據史傳的記載，證明劉孝標不撰此書；而最難明辨的，卻是劉勰及劉晝二人。《宋史·藝文志》《郡齋讀書志》

及《直齋書錄解題》等都說作者是劉晝；《新》《舊唐志》《通志·藝文略》及《平津館鑒藏志》等却說是劉勰所著，可見二說之分歧了。

根據《北齊書》及《北史·劉晝傳》，劉晝撰有《六合賦》《高才不遇傳》《帝道》及《金箱壁言》。如果這四種作品還保存到今天的話，那麽，我們即可利用它們來和《劉子新論》相互比較，以深究兩者在詞藻文筆及哲學思想上的異同，進而判斷劉晝的可能率；然而，它們都已亡佚了。劉勰傳有《文心雕龍》，如果用相同的方法從《文心雕龍》着手，也可以達到相同的目標；《四庫提要》、余嘉錫及吾師王叔岷先生，即從這一途徑來求證，斷定其作者不是劉勰，而應該是劉晝。

《四庫全書總目提要》說：

又史稱劉勰長於佛理，嘗定定林寺經藏，後出家，改名慧地；此書末篇乃歸心道教，與勰志趣迥殊。白雲霽《道藏目錄》亦收之太元部無字號中，其非奉佛者甚明。近本仍刻劉勰，殊為失考。

劉勰崇尚佛釋，《劉子新論》歸心道教，兩者之間的哲學思想完全不一致；然則此書怎麼會是劉勰所著的呢？吾師王叔岷先生更從辭藻文筆來判斷，他在《劉子集證·自序》裏說：

《雕龍》文筆豐美，《劉子》文筆清秀；《雕龍》詞義深晦，《劉子》詞義淺顯；《雕龍》於陳言故實多化用，《劉子》於陳言故實多因襲，此又可證《劉子》非劉勰所作矣。

如果《新論》也是劉勰的作品的話，那麼，《新論》和《雕龍》在詞藻文筆方面應當彼此一致，才合情合理；如今，二書竟有如此的差別，怎麼會是同一位作者呢？因此，本書的作者應該是劉晝。

第三、編著者當代的紀錄

從編著者當代的各項紀錄着手考察，也是鑑別古籍眞僞的一條佳路。所謂編著者當代各項紀錄，包括編著者本傳、門生友人及時人的記述、編著者自己的回憶文字及其他相關的資料，範圍相當廣，考訂者盡可以從各個角度去考察和深究。按照常理來說，某人如果的確編著有某書，他的本傳或者他自己的回憶文字應該有所記述，否則的話，他的門生、友人及時人等，也應該見過此書而有所記錄，才合乎情理。如果偏考這些當代的資料，根本無法證明他編著過這部作品，那麼，其爲後人僞託的可能性就非常高了。

這裏舉兩個例子來說明。

世傳鄭玄有《孝經·注》一卷，南朝蕭齊立爲博士；《隋書·經籍志》著錄鄭氏注《孝經》一卷，未言鄭氏爲何人，僅說：「梁有馬融、鄭衆注《孝經》二卷，亡。」其書今佚，日本有刻本，孫詒讓認爲是輯自《群書治要》，非日人所僞。

鄭玄是不是注有此書呢？蕭齊陸澄曾經根據鄭玄自己的敍述，懷疑爲後人所僞託，他說：「玄自序所註衆書，亦無《孝經》。」因此，他建議鄭注《孝經》不應當立爲博士，與衆經並置。唐開元七年三月的時候，詔諸儒論定《孝經》孔、鄭二家《注》，劉知幾乃依據鄭玄當時的各種紀錄，提出他自已的看法；他說：

> ……然則非玄所註，其驗十有二條：
>
> 鄭《自序》無註《孝經》之文，一也。
>
> 弟子追論師註及應對時人，謂之《鄭志》，不言註《孝經》，二也。
>
> 《鄭志目錄》記鄭所註，不言《孝經》，三也。……
>
> 趙商作鄭先生碑銘，亦不言註《孝經》，晉《中經簿》稱鄭氏解，無「名玄」二字，五也。
>
> 《春秋緯孔演圖》云：「《春秋》《孝經》別有評論。」宋均於《詩譜序》云：「先師。」則均是傳業弟子也，而云唯有評論，六也。……
>
> 後漢史書，謝、薛、司馬、袁為傳，載所註皆無《孝經》，九也。
>
> 王肅《孝經傳》首章有司馬宣王之奏云云，若先有鄭註，亦應言及，而都不言鄭，十也。
>
> 王肅註書，發揮鄭短，凡有小失，皆在訂證，若《孝經》此注亦出鄭氏，被肅攻擊最應

繁多，而肅無言，十一也。

魏晉朝賢，撮引諸註，未有一言引及《孝經》之注，十二也。

劉知幾提出的十二條證據，絕大部分都是歸納自鄭玄當代的紀錄；第一及第三條歸納自鄭玄自己或後人，第二、五、六、十及十一則來自鄭玄的門生及友人，第九及第十二條却是離鄭玄時代不遠的學者們留下的紀錄；這些人分別從各種不同的角度來記述鄭玄，都不曾提及鄭玄注解過《孝經》，因此，劉知幾的說法大概是正確的。

其次，我們再來討論《方言》。原名爲《輶軒使者絕代語釋別國方言》的《方言》，凡十三卷，世傳爲揚雄所撰，《隋書·經籍志》、《宋史·藝文志》及《崇文總目》率無疑義，今有郭璞注本，爲研究語言學者所重視的一部古籍。

此書卷首雖有揚雄的序文，但是，它是不是揚雄所編著的，却是個大問題。《風俗通義·序》說：「周、秦常以歲八月遣輶軒之使，求異代方言，還奏籍之藏於秘室……揚雄好之……二十七年爾乃治正凡九千字。」以爲是揚雄所編著的；然而，應劭此說，恐怕不會有甚麼根據。《漢書》本傳轉錄揚雄序列生平著作的文字，說：

經莫大於《易》，故作《太玄》；傳莫大於《論語》，作《法言》；史篇莫善於《蒼頡》，作《訓纂》；箴莫善於《虞箴》，作《州箴》；賦莫深於《離騷》，反而廣之；

辭莫麗於相如，作四賦。

這是揚雄自己的紀錄，可靠性自然在《風俗通義》之上。在這段文字裏，他已經把自己一生的著述概括完畢了；然而，却沒有《方言》這部書，這是何等蹊蹺的事。因此，這部書恐怕未必是揚雄編著的。

綜合上文所敍述的，我們可以瞭解，從編著者本身的有無、才學及當時的紀錄來考察研究古籍的眞僞，是一條相當可靠的途徑。

二、從本書來考察

在浩如煙海的古籍裏，有的古籍在成書時就已不明署編著者的姓名，如《戰國策》、《靖康蒙塵錄》及《平巢事蹟》；有的古籍在出土時即已亡佚其編著者的姓名，如《竹書紀年》、《逸周書》及晚近出土的《戰國縱橫家書》等；有的雖已明署編著者姓名，却是後人代按上去，如《隋志》說《越絕書》是子貢作的，《崇文總目》引「或曰」，却說是子胥作的；有的縱使編著者普遍被人接受，但是，很明顯的却有後人附益的材料，如《管子》、《商君書》及《荀子》等；這些古籍，如果想考察它們的眞僞及作成時代，就很難從其編著者着手了。這個時候，考察及深究古籍本身，應該是另外一種辨僞的方法。

從古籍本身來考察、研究其眞僞或附益，情形就比較複雜，因爲所謂書籍本身，實際上就已經包含了下列幾個部分：

第一、古籍本身的文字

書籍是由文字連綴成句子、由句子組合成段落、由段落累積成篇章，再由篇章纂輯而成的，因此，文字是書籍最根本的組成份子。這些最根本的組成份子，在性質上有名詞、動詞、副詞及形容詞等之分別；在體裁上，有詩賦、散文及駢體文等的不同；此外，它們在編組連綴成句子時，是有秩序的，有系統的，甚至有時還有音節韻脚的；簡而言之，如果深究細分的話，就會發現，這批「最根本的組成份子」是以系統、整齊及富節奏性的姿態「排陣」在古籍裏。

第二、古籍本身的思想

廣泛地來說，所謂思想，包括了哲理和情意。文字連綴成句子，就已經被賦與情意和哲理；句子組合成段落，不但情意饒富，哲理也漸趨純淨；等到篇章累成、書籍纂畢後，情意及哲理就愈加繁富了。因此，文字是書籍的骨骼，哲理是書籍的靈魂。任何文章及書籍都應該有思想，即使內容最貧乏的西漢長賦或六朝的四六文，都多多少少具備有哲理和情意。

第三、書籍本身的名物

名物，指的是文章裏的特殊名字和事物，如特殊稱謂、人名、地名、朝代名、官名、法制、律歷及禮制等等，它們是組成文章不可或缺的部分，是書籍的血肉。

這三個部分，範圍遼濶，內容繁雜，却都和書籍本身有關係。由於它們是文章書籍的骨骼、血肉和靈魂，所以，它們都接受了時代的滋潤、哺育和培養，沾滿了時代的烙印。先秦文章所採用的音韻，和唐宋詩詞的絕不可能相同；漢魏古籍裏所記載的官名、地名，與戰國時代的一定會有很大的差別；秦漢方士思想，很不可能出現在西周的古籍裏；這些，都是時代的烙印。

瞭解了古籍本身在文字上、思想上及名物上都具備有時代性之後，要考察、研究古籍的眞僞和附益，就可以從這方面來着手了。這裏，試舉數例來說明：

史部地理類有《山海經》一種，十八卷。劉向說：「禹別九州，任土作貢；而益等類物善惡，著《山海經》。」因此，相傳此書作於夏禹及益，善疑的王充也相信此說，認爲「非禹、益不能行遠，《山海》不造」。《漢志》不著撰述人名氏，保留了劉向的說法，《隋志》也是如此。看來這部書的編著者並不很明確；說是禹、益所造的，恐怕也只是劉向推測之辭，並不完全可靠。既然編著者含糊不清，我們當然無法從編著者着手來考察其眞僞、撰述年代及附益；因此，改從書籍本身的文字、思想及名物着手，應該是另一條最佳的途徑了。

顏之推最先發現《山海經》有長沙、零陵、桂陽及諸暨等後代的地名，他認爲這些都是「後人所羼，非本文」；雖然他只懷疑部分的文字，不敢判定整個篇章或整部書的作成時代，不過，他已經開啓了從書籍本身來研究《山海經》的成書問題的新途徑。近人蒙文通根據《中山經》不記載渠水，又根據《中山經》記載器難水、太水、承水、末水流注黃河，與《水經注》所載流注渠水大不相同的事實，判定《中山經》寫作時代應該在梁惠王十年開鑿鴻溝之前，多多少少都得到了顏之推的啓發——從書籍本身的名物，來考察其編著年代。

袁珂在《山海經寫作的時地及篇目考》裏，認爲《山海經》和戰國時代的楚國很有關係；《山海經》雖然沒有祭典的敍寫，但是所載諸巫及其活動特多，如巫咸國、巫咸山、巫彭、巫相、巫姑及巫眞等等，多不枚舉，而《漢書·地理志》謂「楚信巫鬼，重淫祠」，是當時巫術最盛的一個國家，所以，和楚國很有關係。袁珂這個考察，也是從書籍本身的名物來判定其編著年代及地域，道理頗合邏輯。

子部道家類有《老子》一種，這部書的作者，在司馬遷的時代就已經弄不太清楚了。《史記·老子列傳》說：「老子……至關，關令尹喜曰：『子將隱矣，強爲我著書。』於是老子迺著書上下篇。……或曰老萊子，亦楚人也，著書十五篇……。」不但老子其人無法辨清，《老子》其書究竟是誰作的，也交代得不十分清楚。自此以後，這部書的作者以及其作成時代，就成爲學者們爭論聚訟的對象了。

在討論《老子》的作者及成書時代的問題上，許多不同的角度和方法都用上了；如果我們將它們搜羅在一起，無疑的將會成爲一本鉅著，是古籍辨僞學一個很好的範例。不過，這裏只擬舉出一家的說法，作爲本節的參考例子。

劉建國晚近撰有《老子時代通考》，見於所著的《哲學史論叢》內。根據他的說法，《老子》是老聃所著，時代在孔子之前；他最重要的理由是：西周時代的文獻史籍多以「邦」稱「國」，這和西周封建分邦制度有關係；春秋末年，此一現象還繼續延續着，《論語》裏「邦」「國」並用，而用「國」只寥寥幾處，「邦」佔絕大部分，就是一個好例子。出土帛書《老子》有甲本一種，內中用「邦」字二十二處，佔絕大部分，用「國」字僅得一處；可證這份抄寫於劉邦稱帝前的甲本，正反映了《老子》成書的時代——與《論語》形成的社會大略同時。這個「邦」字到了戰國時代的諸子書中，就隨着封邦的消失而棄之不用；《孟子》中只有一個「邦」字（引《詩經》語），其他全用「國」字；《荀子》、《韓非子》全都用「國」字。劉建國這個論證很具說服力，是考訂《老子》成書時代很值得重視的一個新證據；而這個證據的提出，就是奠基在古籍本身用字的時代性上。除非我們說抄寫者故意改易，或者字辭的時代性歸納得不太正確，否則採用這種方法來考訂古籍的眞僞及其成書時代，是很值得效法的。

子部道家類還有一部書，很值得當作本節的範例來加以討論。《關尹子》一卷，相傳是關令尹喜所寫的，《史記·老子列傳》雖然提及「關令尹喜」的名字，不過，却不說他有過甚麼著作。今傳有《關尹子》其書，而且卷首尚有劉向《序》、卷末又有葛洪《後序》各一則。《漢志》有《關尹子》九篇，內容及眞僞情形，實在很令人注意；《隋書》、《唐書》及《宋史》諸志皆不著錄此書，看來亡佚多時矣。那麼，《漢志》九篇的眞正情形，除非有出土資料，否則也許將永遠成爲歷史懸案了。

值得我們提出來討論的，是今傳九篇的《關尹子》。陳振孫很早就懷疑其僞託，理由是傳授系統靠不住；黃震根據「爲者必敗，執者必失；故聞道於朝，可死於夕」因襲自《老子》和《論語》，認爲是一部有問題的書。胡應麟在《四部正譌》裏，對此書有很嚴厲的指責，他把本書因襲自《莊子》、《列子》、佛典及方外的思想的文字，分別摘錄出來；其中，以佛典的思想爲最多。這裏，我們轉錄幾條如下：

《一宇篇》：「若以言行學識求道，互相展轉，無有得時。知言如泉鳴，知行如禽飛，知學如擷影，知識如計夢。一息不存，道將來契。」此出自佛典。

《三極篇》：「蛇食卽且，卽且食蛇，蛇食蛙，互相食也。聖人言亦然：言有無之弊，又言非有非無之弊，又言去非有非無之弊，如引鋸然。惟善聖者不留一言。」此出自《莊子》。

《七釜篇》：「人之力有可奪天地者，如冬起雷，夏造冰，豆中攝鬼，杯中釣魚，枯木能華，土鬼可語，皆純氣所為，故能化萬物。」此附會《列子》。

《八籌篇》：「卽吾心可作萬物。蓋心有所慕則愛從之；愛從之則情從之。嬰兒、姹女、金樓、絳宮、青蛟、白虎、寶鼎、紅爐，皆此物。」此出自方外。

所以，胡應麟懷疑，「五代間方外士掇拾柱下之餘文，傅合竺乾之章旨，以成此書」。這是根據古籍本身的思想，來考訂古籍眞僞及時代的例子，值得效法和學習。

《列子》一書，也許是道家類裏爭論最激烈的一部書。這部書有劉向《序》，《漢志》曾經著錄，張湛又曾加以注解，看來應該是一部可靠的書；然而，啓人疑竇的地方還是相當多。不論是文字、思想及書中的名物，都有可議之處，歷代學者討論得相當多。

例如在思想方面，就有不少地方值得懷疑和商榷；下列《楊朱篇》一段文字只是一個例子而已：

萬物所異者，生也；所同者，死也。生則有賢愚貴賤，是所異也；死則有臭腐消滅，是所同也。雖然，賢愚貴賤，非所能也。臭腐消滅，亦非所能也。……十年亦死，百年亦死；仁聖亦死，凶愚亦死。生則堯舜，死則腐骨；生則桀紂，死則腐骨；腐骨一矣。

這段文字，和《沙門果經》「地大還歸地，水還歸水，火還歸火，風還歸風，皆悉壞敗，諸根歸空。若人死時……若愚若智，取命終者，皆悉壞敗，爲斷滅法」在思想上的確很有關連，張湛《序》說：「所明往往與佛經相參。」恐怕就是指這類文字了。

在文字方面，這部書所展示出來的措辭、語法及句型，也都頗富時代特色。例如《天瑞篇》「數十年來存亡、得失、哀樂、好惡，擾擾萬緒起矣」，先秦古籍一般上都作「自……

以來」「由……而來」；漢代作「……以來」，雖然省了「自」字，「以」字却不可省；現在《列子》同時省了「自」和「以」「而」字，和先秦古籍的句型大不相同。又例如《說符篇》「歧路之中，又有歧焉，吾不知所之，所以反也」，先秦古籍只用「是以」「是故」「故」諸詞，不用「所以」；先秦的「所以」，不能當一詞看待，而是「所」與「以」相結合的常語，當作「的道理」的意思。現在，《列子》「所以」一詞，和今天的用法完全相同，這是先秦古籍所沒有的現象。

至於名物方面，歷代學者也已指出其可議之處。例如《周穆王篇》有駕八駿見西王母事，與《穆天子傳》合；而《穆天子傳》出晉太康年間。又如《湯問篇》「渤海之東，不知其億萬里，有大壑，實惟無底之谷」，乃合《山海經》「東海之外有大壑」及郭《注》引《詩含神霧》「東注無底之谷」二文而成者。再如《黃帝篇》列九淵，乃依據《莊子。應帝王》所擧三淵，補上《爾雅》，合成九淵。

單只討論一書的作成時代，我們就可以從它的文字、思想及名物等各種不同角度來觀察，所以，在考訂古籍眞僞及作成時代時，我們應該在方法上多所設想和鑽研，庶幾乎得其事實。

以上所擧的幾個例子，都是就古籍本身來考察其眞僞、時代及附益，是追探古籍眞僞「最基本」和「最切身」的一種方法。這種方法其實是非常多樣化的，擧凡依據古籍「本身」來考訂的，都應該歸入這個範圍之內，就以古籍本身的文字來說，我們可以根據書內的名詞、動詞、副詞及形容詞等的時代性來考察，也可以根據其文體、文法及音韻等的時代性來考察；再以古籍本身的名物來說，凡是書內的人名、地名、朝代名及法則等等，都是我們觀察的對象。因此，我們固然可以說，從古籍本身來考察是「最基本」「最切身」的；也可以說，從古籍本身來考察是最多樣化的，是最錯綜的。上文所舉，不過是幾個範例而已，其方法的開拓及新證的發現，端視學者們的努力和鑽研了。

三、從流傳來考察

古籍完成之後，除非藏諸名山，否則一定向縱、橫兩個層面流傳開來。從橫面流傳的話，一定見諸時人的稱引和著錄；向這方向去考察的，我們把它歸入上文「從編著者來考察」的第二項「編著者當代的紀錄」。向縱面來考察的，我們將它歸入本節來討論。

考察古籍眞僞，從縱面的流傳着手，不失爲良好方法之一。說某書是某人編著的，說某書流傳時有若干卷，或者說某個時代曾出現過某書，都必須在歷史的洪流中找到證據，否則的話，這些說法就有商榷的餘地了。所謂「歷史的洪流」，也就是歷代著錄典籍的官私目錄了。

向歷代官私目錄求證古籍的眞僞，應該可以從下列三個層面來探索；即：

第一、著錄的有無

古籍流傳開來後，當代或後代的官私目錄應該有所著錄，以先秦的古籍來說，《漢書．藝文志》應該很完整地加以著錄了；再以兩漢的古籍來說，《隋書．經籍志》也應該全部著錄了。如果說某書在先秦就已流傳開來，但是《漢志》不著錄，却要到《隋志》才看得到，那麼，這部書的眞僞大概頗有問題。譬如《子夏易傳》及《子貢詩傳》這兩部書，子夏及子貢都是孔子的學生，他們的著作按理應該著錄於《漢志》，然而，前者却要到《隋志》才著錄，後者更要到《明志》才著錄；我們不禁要問，從先秦到著錄之間的一大段時間，這兩部書去了那裏？生活在這一大段時間的學者們沒看過這兩部書，到《隋志》及《明志》的時代，它們突然又從何處冒出頭來？經過我們這樣地追問探索，二書的僞迹便昭然若揭了。

另一種情形恰好與此相反。有的古籍在流傳的歷史洪流中，曾經出現「存——亡——再現」的情形，而這個「再現」者，和原來「存」者是否同一古籍，有時頗值得我們斟酌和考察。除非像《竹書紀年》及《孫臏兵法》等書，其出土情形經過明白記載，「存——亡——再現」的過程確實無訛，否則的話，古籍「亡」了之後，很難有機會「再現」的。例如上文提過的《關尹子》，《漢志》著錄有九篇，盡管此書和關令尹喜的關係尚待考究，班固親見此書似乎是可以肯定的；到了《隋志》，此書亡佚，不再著錄；然而，《宋志》却又著錄《關尹子》九卷；如果說《漢志》九篇的《關尹子》沒有亡佚，那爲甚麼《隋志》不著錄呢？如果說六朝時代《關尹子》已亡佚，爲甚麼唐末宋初又出現呢？可見此書的「再現」本和原本大有問題了。

第二、作者及卷數的符合

古籍在流傳的過程中，原則上只有內容及份量的逐漸減少和殘損，不可能時代愈晚卷帙愈增加。因此，追探古籍歷代著錄的卷帙，並且核對其作者，也是考察古籍眞僞的一條佳法。例如《漢志》著錄《鬻子》二十二篇，今傳者只有一卷十四篇；《漢志》說《公孫龍子》十四篇，今本只有六篇；《漢志》說《愼子》有二十四篇，《唐志》說十卷，《崇文總目》更說三十七篇，今傳者却只有五篇；似此由卷帙繁多演變到卷帙損少的情形，完全符合古籍流傳的實況。

古籍在流傳的過程中，其卷帙如果是朝向「多——少」來發展，我們即可以用殘散來解說；如果反而是出現「少——多」或「多——少——多」的情形，那麼，其眞僞就很值得我們注意了。例如《鶡冠子》，《漢志》著錄僅一篇，唐代韓愈却看到十九篇，宋代《崇文總目》著錄者增到三十篇，時代愈晚，卷帙愈繁多，怎麼不啓人疑竇呢？又如《孫子兵法》一書，《史記》載闔廬所見者爲十三篇，漢代劉向看到的是三卷，由篇改成爲卷；《漢志》著錄驟然增加爲八十二篇，外加九卷圖，除了增加文字的篇幅外，又附上插圖；其值得懷疑的地方，也和《鶡冠子》相同。

因此，古籍在流傳的過程中，如果卷帙出現「少——多」的情形，則「多」的部分極可能是經過後人的附益。

第三、流傳過程中的實際情況

古籍向縱方面流傳開來後，一定經過不同時代的學者們的展讀、研究和批評；這些學者們的紀錄，特別是涉及古籍的作者、內容、傳承及卷帙方面，都很值得我們參考。這些紀錄，有的見諸古書的注疏，如《漢志》的小《注》；有的見諸學者的筆記，如洪邁的《容齋隨筆》；有的見諸學術上的專著，如胡應麟的《四部正譌》等。

以《漢書·藝文志》而言，班固在《注》中就說明許多古籍是後人無中生有地編造出來的。比如《漢志》裏著錄有許許多多黃帝的書，道家類有《黃帝四經》、《黃帝銘》、《黃帝君臣》、《雜黃帝》，陰陽家類有《黃帝泰素》，小說家有《黃帝說》，兵家類有《黃帝》，歷譜類有《黃帝五家歷》，五行類有《黃帝陰陽》、《黃帝諸子論陰陽》，雜占類有《黃帝長柳占夢》，經方類有《黃帝內經》，神化類有《黃帝雜子步引》、《黃帝雜子芝菌》及《黃帝雜子十九家方》等等，總數在十幾種之譜，這些書很可能是後人總結過去的經驗和知識而編寫纂聚成的，但是，却一股腦兒地題名爲「黃帝」，說是黃帝所編撰的。班固在小《注》中，曾經擇要地註明一、二種爲「依託」「迂誕」，其他各種，讀者自可類推了。此外，像神農的書，夏禹的書等，班固也比照前者的辦法，給予說明。像班固這樣的小《注》，《漢志》幾乎處處可見，很值得我們參考。

可疑的古籍在歷史洪流裏傳佈時，似乎很難逃過學者們銳利的眼光。例如張霸百兩篇

《尚書》，出現不久之後，即刻被人窺破；《孔子家語》及《孔叢子》甫一編成，即受人指斥批評。因此，考察古籍眞僞及其時代，前代學者的紀錄，很值得我們參考。

自漢代以來，經過無數學者的努力和開拓，今天，我們差不多可以把前人考訂古籍眞僞的方法加以整理和歸納，給以系統化和方法化，使到初學者得其門徑，有所依循。本章將種類繁雜、支節細密及論證複沓的辨僞方法加以歸類和系統化，並且各舉簡例數則說明之，只是為初學者提供一些入門的基本法則而已。方法全在人為，成績全在工夫，初學者循此基本法則和簡單範例，應當百尺竿頭，更進一步，向學問的堂殿努力邁進。

第六章　方法的檢討

從明代胡應麟開始，雖然已經將古籍辨僞的方法歸納爲條例，俾便從事斯業者有所依循和根據；梁任公《古書眞僞及其年代》甚至於滙聚爲兩大系統三十二種條例，可謂集其大成而縝密周詳了。然而，這些條例及方法是不是一成不變、完全可靠呢？換句話說，如果我們依循這些條例和方法來研究古籍，並判定其眞僞及成書時代，是不是就會鐵案如山呢？對於這個問題，從事斯業的學者們似乎應該認眞地加以考慮和探索的。

根據我個人的經驗，這三十二種方法實際上並不是絕對的無瑕可擊，依循它們所考訂出來的結論，也不一定是絕對的眞理。我們承認，這些方法有其普遍性的可靠程度，但是，却不是放諸四海而完全皆準。因此，當我們瞭解了這些方法後，或者說，當掌握了三個不同層面的辨僞方向後，也應該對它們的準確性及可靠程度有所瞭解，庶幾乎能夠達到更審愼謹嚴的境地。

我們已經討論過，在三個不同層面的辨僞方向裏，有一個是屬於古籍流傳的情形；所謂古籍流傳的情形，包括了官私目錄著錄的有無、作者及卷數的符合，以及流傳過程中的實際情況等等。從這個方向來考察古籍的眞僞，早在唐代的柳完元就已開其先河了。柳宗元在

《辯鬼谷子》裏說：「漢時劉向、班固錄書，無《鬼谷子》。」作爲該書「後出」的證據之一；在考訂《亢倉子》時，他又說：「劉向、班固錄書，無《亢倉子》。」作爲他判定「空言無事實」的一個證據。柳宗元的開拓不但是成功的，而且影響後來深遠。

宋代王堯臣繼續往這個方向開拓，在《崇文總目》裏，他用下列的文字來考訂七卷本的《春秋世譜》：

不著撰人名氏……隋、唐書目《春秋大夫世族譜》十三卷，顧啓期撰。而杜預《釋例》自有《世族譜》一卷。今書與《釋例》所載不同，而本或題云杜預撰者，非也。疑此乃啓期所撰云。

王堯臣懷疑七卷本《春秋世譜》的作者應該是顧啓期，而不是杜預，或本題「杜預撰」，恐怕不正確；王堯臣所據的理由非常簡單，杜預《釋例》說他自己的書只有一卷，而隋、唐書目著錄顧啓期的著作却是十三卷，一卷本不可能舖演爲七卷，而十三卷却有可能流傳爲七卷。

到了明代，胡應麟《四部正譌》開列了八條辨僞的方法，首二條是：「覈之七略以觀其源，覈之群志以觀其緒。」很顯然的，他相當強調利用舊志著錄古籍流傳的情形，來審訂古籍眞僞的方法。自此以後，利用這方法來考訂古籍不但普遍受到承認和重視，而且經常被當作最優先考慮的權威方法。試以梁任公《古書眞僞及其年代》爲例，他開列辨僞方法的第一大系統就是「就傳統統緒上辨別」，底下所臚列的八條，絕大部分都與「覈之七略」「覈之群志」有關。梁任公《中國近三百年學術史》第十四章甚至於說：

> 古書流傳有緒，其有名的著作，在各史《經籍志》中都有著錄，或從別書記載他的淵源，若突然發現一部書，向來無人經見，其中定有蹊蹺。如先秦書不見《漢書・藝文志》，漢人書不見《隋書・經籍志》，唐以前不見《崇文總目》，便十有九靠不住。

謂舊志不著錄之古籍，「便十有九靠不住」[1]；梁任公非常重視舊志的價値和權威，於此可以概見了。

實際上，舊志的權威性並不如一般學者想像的那麼高，在利用它們的時候，似乎應該有某種適度和局限。爲了證明這一點，我們舉個例子來說明：

今傳有《公孫龍子》六篇，篇名爲《跡府》、《名實》、《指物》、《通變》、《白馬》及《堅白》。此書最早見諸《漢志・名家類》的著錄，共十四篇，比今傳本多了八篇；降至新、舊《唐書》，皆分別著錄爲三卷，《新唐志》又著錄有陳嗣古、賈大隱《注》本各一卷。《宋志》亦著錄此書，僅得一卷。比較了歷來官方書目著錄的情形後，我們發現了兩種現象：第一、在諸多官方書目裏，《隋志》偏偏不著錄，獨缺此書；第二、《漢志》、《唐志》及《宋志》著錄的篇卷數目，都大有不同；第三、今傳篇數，也與各《志》著錄者有異。

最早發現這些差異，並且加以利用作爲此書眞僞的判斷依據的，應該是宋代的陳振孫，他在《直齋書錄解題》卷十裏說：

趙人公孫龍，為白馬非馬、堅白之辨者也。其為說淺陋迂僻，不知何以惑當世之聽？《漢志》十四篇，今書六篇。首敘孔穿事，文意重複。

陳振孫雖然沒有直指其僞，不過，從他「淺陋迂僻」等的語氣來瞭解，他懷疑此書似乎多過肯定此書；而懷疑此書的幾個原因當中，有一個就是流傳的情形——《漢志》著錄與今本篇數不同。姚際恆《古今僞書考》引證了陳振孫這段話後，加了兩句案語：「《漢志》所載而《隋志》無之，其爲後人僞作奚疑！」完全利用「從舊志不著錄而定其僞」的權威，而否決了《公孫龍子》的可靠性。近人黃雲眉《古今僞書考補證》，曾經說：「今書六篇，是否出自公孫之手，則殊可疑。據《漢志》，《公孫龍子》十四篇……。」也頗運用相同的方法，來衡量此書的信疑。

到底今本六篇的《公孫龍子》是可靠的呢？還是僞造的呢？自陳振孫以下，根據舊志著錄的情形而判定的「案情」，是不是可以接受呢？對這類辨僞的方法來說，《公孫龍子》的情形也許是一個考驗。晚近幾年來，學者們對《公孫龍子》似乎有更客觀的看法，如果這些看法能夠成立的話，那麼，依據舊志著錄的情形來審訂古籍的準確性就不會那麼高了。

阮廷卓在《論今本公孫龍子出現的年代及其眞僞》❷一文中，對今傳六篇的後五篇，是抱着肯定的態度的；他認爲，「後五篇若假定它是僞的話，則作僞必始於唐人，但這五篇的文字極古樸，非漢以前人不能僞，唐人又豈能有此手筆呢？而且篇中所言，與先秦諸子所稱述的《公孫龍子》學說全無違異」，因此，這五篇《公孫龍子》無疑的完全可靠。然而，《漢志》著錄的是十四篇，爲甚麼今傳只有六篇呢？阮氏認爲恐怕是散佚的關係；換句話說，今傳者是個殘本。我們在《莊子·秋水》、《呂氏春秋·淫辭》、《淮南子·詮言》、劉向《鄧析子書錄》及《列子·仲尼》裏，可以看到許多公孫龍的「餘義」；這些餘義，「任學一端，均可以推演成論，又怎能說不能鋪陳至八九篇之多呢」？如果這八九篇沒亡佚的話，那麼，《漢志》所著錄的十四篇正是完好如初，一直保存到今日。根據他的推斷，此書在隋、唐之季曾經散佚過一段時間，一直到唐高宗顯慶年間，才從民間殘存的古本裏整理出來，重新流傳。因此，今本《公孫龍子》是靠得住的。

另外一位學者龐樸，他的結論和阮氏相同；根據他的看法❸，本書「體系的完整程度和周密程度，是同時代的其他人所不曾達到的」，「後人沒受那個時代的薰陶，坐在房子裏是完全僞造不出來的」，因此，他認爲今傳本完全可靠。然而，《漢志》著錄此書有十四篇，今傳本却只有六篇，他怎麼解釋這個問題呢？根據他的考察，公孫龍見於他書的「餘義」，不論是屬於政治倫理的，或者屬於詭辭的，都「不一定非在《公孫龍子》中重複出現不可」，也「不一定斷定它非保存在其他八篇中不可」。雖然龐氏對「餘義」的看法和阮廷卓恰成相反，不過，他們的結論却相同——今傳本除第一篇外，其他五篇是眞本，非後人所能僞託。

上述兩位學者的結論恐怕頗有道理，試詳讀今傳本《公孫龍子》，就自然會得到這印象。試觀察下文所開列各篇內容大旨：

《跡府》——公孫龍傳略性的記錄。

《名實論》——通論性質的文章，表明立言宗旨和論辯準則，並爲一些基本範疇定立界說。

《指物論》——解決思維和存在關係或名實關係的，爲全書的理論基礎。

《通變論》——方法論、變化論。

《白馬論》
《堅白論》｝上述觀點的具體運用和例證

考察了各篇大旨後，我們似乎就無法否定龐樸的說法：「體系的完整程度和周密程度，是同時代的其他人所不曾達到的。」因此，說它是一部後人僞造的贋書，恐怕頗難令人信服。

討論到這裏，就應該回來主題了——依據舊志著錄的情形來判定古籍的眞僞，是不是完全可靠？梁任公《古書眞僞及其年代》開列出來兩大類辨僞方法，首類「就傳授統緒上辨別」中至少有下列幾條涉及這問題：

㈠從舊志不著錄，而定其僞或可疑；

㈡從前志著錄，後志已佚，而定其僞或可疑；

㈢從今本與舊志所說之卷數不同，而定其僞或可疑；

㈥後人謂某書出現於某時而彼時人未見此書，可斷其爲僞；

㈧從書之來歷曖昧不明，而定其僞。

如果我們根據這幾條方法來進行古籍眞僞的考察，是不是完全準確無誤呢？《公孫龍子》就是個例子了，它爲《漢志》所著錄，《隋志》缺，新、舊《唐志》及《宋志》又突然出現了，而且篇卷也不相同；如果根據上述的方法來判斷，其爲隋、唐間人所僞造者，幾乎可以肯定的了。從陳振孫以下，就不相信此書，張心澂《僞書通考》也判爲「疑僞」及「非僞」，存疑兩可；這些，都是受了上述辨僞方法的影響。現在，根據全書篇章內容及組織來考察，它極可能是一部可靠的書；這個例子告訴我們，上述幾條「依據舊志來判定古籍眞僞」的方法未必完全可靠，並不是鐵案如山，梁任公說：「其書前代從未著錄，或絕無人徵引而忽然出現者，十有九皆僞。」他只說「十有九」，預留餘地，恐怕也有此同感。

實際上，以舊志著錄的情形來判斷古籍的眞僞，並不能過份的執著，還必須配合上其他的證據或方法。我們應當承認，有些古籍首先是在民間流傳，後來才蒐集到官府裏去；有些古籍雖然被蒐集官府，却是很晚的事；因此，舊志著錄的恐怕不能當作絕對的依據。以《漢書·藝文志》爲例，試閱姚振宗的《漢書藝文志拾補》，就可知《漢志》失錄古籍的情形；至於其他諸志，也應該沒有例外。有了這個認識之後，利用舊志來考訂古籍眞僞似乎就應該更加謹愼了。

其次，讓我們來檢討另一項辨僞方法：根據古籍的思想來判斷其眞僞及成書時代。

梁任公辨僞方法裏，特地開列了「從思想上辨別」一門，說：「這法亦很主要，前人較少用。」並且下分四項：從思想系統和傳授家法辨別，從思想和時代的關係辨別，從專門術語和思想的關係辨別，從襲用後代學統辨別；可見他相當重視這一類的辨僞方法了。

審查古籍的思想，從而判定其眞僞及作成時代，恐怕開創自劉向。劉向在《晏子敘錄》裏說：「又有頗不合經術，似非晏子言，疑後世辨士所爲者。」雖然這三句話說得頗爲模糊，不過，他根據晏子的思想來辨定這批材料，似乎是可以肯定的。班固撰述《漢志》時，在鑑別古籍時雖然下了不少工夫，不過，他似乎很少用及這個方法，《黃帝說四十篇》下的小注說：「迂誕，依託。」我們實在很難推測，所謂「迂誕」的眞正含義。梁任公說：「前人較少用。」大概沒錯。

似乎要到宋代，學者們才又開始注意到通過思想的分辨，也可以考訂古籍眞僞及時代性，王十朋在考訂《中庸》時，曾這麼說❹：

> 夫子以一貫之道語曾參，曾參告門人曰：「夫子之道，忠恕而已矣。」是書乃有「忠恕違道不遠」之言，則是以道與忠恕為一，而忠恕實未可以為道也，與《論語》又何不同也。

雖然王十朋沒有明說《中庸》的作者爲誰，不過，他言外之意是非常明顯的。其後，宋濂在撰寫《諸子辨》時，也特別注意這個方法；試讀他在考辨《文子》時的話：

《文子》十二卷，是書非計然之所著也。予嘗考其言，壹祖老聃，大概《道德經》之義疏爾，所謂「體道者不怒不喜，其坐無慮，寢而不夢，見物而名，事至而應」，卽「載營魄抱一，專氣致柔，滌除玄覽」也……蓋老子之言宏而博，故是書雜以黃、老、名、法、儒、墨之言以明之，毋怪其駁且雜也。計然與范蠡言皆權謀、術數，具載于書，絕與此異，予固知非著是書者也。

宋濂認爲，此書駁雜不精，而且又與計然平日的言論不相同，所以，「固知非著是書者」；似此考訂方法，和王十朋幾乎相合。

晚近百年來，這個方法的運用似乎更加普遍，而且也趨於精細的境地；梁啓超、胡適、錢穆、馮友蘭及羅根澤等都用上這個方法，梁任公在《古書眞僞及其年代》甚至將它獨立爲一門，強調其重要性。

運用思想的脈絡來考訂古籍的眞僞及其著作時代，是不是如我們想像中那麼樣的準確和可靠呢？我們不否認，這方法有其普遍性的眞理，劉向、王十朋及宋濂所說的大致上都可靠，但是，是不是就如梁任公所說的「我們却看做很好的標準」呢？在運用此方法之際，這方面的考慮是必需的。

晚近學者們在考訂子部思想性的古籍時，最喜愛根據思想的脈絡來判斷其眞僞及著成時代；這裏，我們舉《老子》一書來說明。

民國以來，考訂《老子》的學者非常多；翻開《偽書通考》正、續篇，即有馬敘倫、梁啓超、張煦、張壽林、唐蘭、張季同、馮友蘭、胡適、錢穆及蔣錫昌等二十餘家。在這諸家的考訂中，大部分都頗能從各種不同角度來觀察同一問題，比如梁任公的《論老子書作於戰國之末》，他即從《史記．本傳》、墨子孟子不評老聃、老聃態度與著作精神不合、《老子》全書思想及其文字語氣等幾個不同角度，來論證「我很疑心《老子》這部書的著作年代，是在戰國之末」。雖然從思想脈絡來考察古籍未必非常準確可靠，不過，如果輔以其他不同角度的證據的話，似乎還可以得出理想的結論。

錢賓四先生考訂《老子》成書年代，曾經寫了三篇重要的論文；它們是《關於老子成書年代之一種考察》、《再論老子成書年代》及《老子書晚出補證》。這三篇論文，分別從政治社會背景及哲學思想系統來立論，其中政治社會背景大概本諸梁任公，而《關於老子成書年代之一種考察》及《老子書晚出補證》二文，則純粹從思想脈絡來分析《老子》的成書年代。錢先生《序》說：

> 大凡一學說之興起，必有此一學說之若干思想中心，而此若干思想中心，決非驟然突起。蓋有對其最近較前有力之思想，或為承襲而闡發，或為反抗而排擊，此則必有文字上之跡象可求。……且一思想之表達與傳布，又必有所藉以表達與傳布之

工具。如其書中所用之主要術語，與其著書之體裁與作風，皆是也。此等亦皆不能逃脫時代背景之影響與牢籠，則亦足為考定書籍出世年代之一助也。

以下，錢先生即根據《老子》一書的思想脈絡，比如《老子書晚出補證》即舉出常、同、妙、和、中、畜育、明、止、曲、強、華文素、宗、正貞、淵、沖、兌、光、久及士等思想術語，來考察該書之作成時代。因此，我們可以說，錢先生對《老子》成書年代的推斷，幾乎完全就建立在思想脈絡的考訂之上❺。

如果缺乏其他角度的證據，單只依憑思想脈絡來判斷古籍的眞僞及其成書年代，我們認爲其結論是具「危險性」的。胡適之先生曾撰文批評錢先生的論文，他說：

思想線索是最不容易捉摸的。如王充在一千八百多年前，已有了很有力的無鬼之論；而一千八百年來，信有鬼論者何其多也！如荀卿已說「天行有常，不為堯存，不為桀亡」，而西漢的儒家大師斤斤爭說災異，擧世風靡，不以為妄。又如《詩經》的小序，經宋儒的攻擊，久已失其信用；而幾百年後的清朝經學大師又都信奉毛傳及序，不復懷疑。這種史事，以思想線索來看，豈不都是奇事？說的更大一點，中國古代的先秦思想已達到很開明的境界，而西漢一代忽然又陷入幼稚迷信的狀態；希臘的思想已達到了很高明的境界，而中古的歐洲忽然又長期陷入黑暗的狀態；印度佛教也達到了很高明的境界，而大乘的末流居然淪入很黑暗的迷霧裏。我們不可以用後來的幼稚來懷疑古代的高明，也不可以用古代的高明來懷疑後世的墮落。

最奇怪的是一個人自身的思想也往往不一致，不能依一定的線索去尋求。十餘年前，我自己曾說，《老子》書裏不應有「天地相合以降甘露」一類的話，因為這種思想「不合老子的哲學」！我也曾懷疑《論語》裏不應有「鳳鳥不至，河不出圖，吾已矣夫」一類的話。十幾年來，我稍稍閱歷世事，深知天下事不是這樣簡單。……我們明白了這點很淺近的世故，就應該對於這種思想線索的論證稍稍存一點謹慎的態度。尋一個人的思想線索，尚且不容易，何況用思想線索來考證時代的先後呢！

胡先生這段文字，很值得這方面的學者們警惕；「尋一個人的思想線索，尚且不容易，何況用思想線索來考證時代的先後」，眞是不移之論。梁任公說：「這法亦很主要，前人較少用。」爲甚麼前人較少用？相信前人知道它的弱點。

梁任公在第二大系統的辨僞方法裏，開列了一項「從文章上辨別」，底下明列（子）名詞、（丑）文體、（寅）文法及（卯）音韻等四小類。根據名詞、文體、文法及音韻的時代性，考訂古籍的眞僞及成書年代，正如梁任公所說的，其由來很久，而且也非常發達。《漢書·藝文志》著錄《大禹》三十七篇，班固《注》云：「傳言禹所作，其文似後世語。」後漢趙岐注解《孟子》時，將《外篇》四篇刪出，云：「其文不能閎深，不與內篇相似。」梁任公即舉此二例來說明。根據文章來考訂古籍，實際上劉向已開其先河，《漢志·諸子略》道家類有《周訓》十四篇，師古《注》引劉向《別錄》云：「人間小書，其言俗薄。」劉向根據文章的庸俗淺薄，判定《周訓》只是一部不值得重視的「人間小書」。其後趙岐、孔穎達、柳宗元、歐陽修、黃庭堅及晁公武等人，也都用過這個方法來考訂古籍的眞僞及其成書時代。

晚近以來，這類辨僞方法相當盛行，許多學者在考訂古籍時無形之中經常加以採用。梁任公就非常推崇這類方法，他不但將它獨立爲一要項，而且撰文加以推崇；他說過：

> 這是辨偽書最主要的標準，因為每一時代的文體各有不同，只要稍加留心便可分別。即使甲時代的人模仿乙時代的文章，在行的人終可看出；譬如碑帖，多見多臨的人一看便知是某時代的產物；譬如詩詞，多讀多做的人一看便知是某時代的作品，造偽的人無論怎樣模仿，都不能逃真知灼見者的眼睛。……偽古文《尚書》最初何以有人動疑，也因為《大誥》、《洛誥》、《多士》、《多方》太詰屈聱牙，而《五子之歌》、《大禹謨》却可歌可誦，二者太懸殊了。如果後者確是夏初的作品，這樣文從字順，而前者是商周的作品反為難讀，未免太奇怪了。……若從文體辨文學作品的真偽，則越加容易。……真的講，像這種從文體辨偽書的方法，真妙的很，却難以言傳。但這個原則是顛撲不破的，如看字看畫看人的相貌，有天才或經驗的人暗中自有個標準，用這標準來分別真偽

年代或種類。這標準十分可靠，但亦不可言說，只有多經驗，經驗豐富時，自然能用

……凡造僞的不能不抄襲舊文，我們觀察他的文法，便知從何處抄來……。

這類辨僞方法，是不是如梁任公所說的「像這種從文體辨僞書的方法，眞妙的很……這標準十分可靠」呢？從事古籍辨僞者，似乎應該考慮這個問題。

梁任公曾經以《莊子》及《列子》爲例，作爲這方面的說明。《莊子·應帝王篇》曾引壺子的話說：「是殆見吾衡氣機也，鯢桓之審爲淵，止水之審爲淵，流水之審爲淵，淵有九名，此處三焉。」梁任公認爲，「大約因衡氣機很難形容，拿這三淵做象徵，但有三淵便盡夠了」。《列子·黃帝篇》也有這段文字，九淵完全具備，比《莊子》更完整：「是殆見吾衡氣機也，鯢旋之潘爲淵，止水之潘爲淵，流水之潘爲淵，濫水之潘爲淵，沃水之潘爲淵，氿水之潘爲淵，雍水之潘爲淵，汧水之潘爲淵，肥水之潘爲淵，是爲九淵焉。」梁任公認爲，「僞造《列子》的因爲《爾雅》有九淵之名，想表示他的博學，竟把引書的原意失掉了，眞是弄巧反拙，誰能相信《列子》在《莊子》之前呢」。梁任公判定《列子》這段文字在《莊子》之後，主要的理由是《列子》比《莊子》更加詳備，「凡造僞的不能不抄襲舊文，我們觀察他的文法，便知從何處抄來」，它把《爾雅》的文字抄進去，使《莊子》原本的三淵變成九淵了。

如果二書有因襲的關係，時代晚出的比時代早出的更加詳備，這應該是普遍性的眞理。

《莊子·應帝王》言九淵，實際上只說了三淵的名字；晚出的《列子》，竟連九淵的名字都具備了，其為晚出，殆無可疑。似此情形，只要稍加留意，例子相當多；試讀下列兩段文字：

《左傳》莊公三十二年：

秋七月，有神降于莘，惠王問諸內史過曰：「是何故也？」對曰：「國之將興，明神降之，監其德也；將亡，神又降之，觀其惡也；故有得神以興，亦有以亡，虞、夏、商、周，皆有之。」

《國語·周語上》：

十五年，有神降於莘，王問於內史過曰：「是何故？固有之乎？」對曰：「有之！國之將興，其君齊明衷正，精潔惠和，其德足以昭其馨香，其惠足以同其民人，神饗而民聽，民神無怨，故明神降之，觀其政德，而均布福焉。

國之將亡，其君貪冒辟邪，淫佚荒怠，麤穢暴虐，其政腥臊，馨香不登，其刑矯誣，百姓攜貳，明神不蠲，而民有遠志，民神悲痛，無所依懷，故神亦往焉，觀其苛慝，而降之禍。是以或見神以興，亦或以亡。

昔夏之興也，融降於崇山；其亡也，回祿信於聆隧。商之興也，檮杌次於丕山；其亡也，夷羊在牧。周之興也，鸑鷟鳴於岐山；其衰也，杜伯射王於鄗。是皆明神之志者也。

詳細對比這兩段文字，就可以發現《國語》似乎有意在鋪衍《左傳》，除了「虞」一事外，其他全部和《左傳》簡直沒有兩樣，而且比《左傳》詳備得多多了。遇到這種情形，一般上就可以如此地判斷：《國語》在《左傳》之後，而且是依據《左傳》或與《左傳》相同的一批材料，加以引申鋪衍。

似此前略後詳的情形，是不是一成不變、絕對可靠的呢？是不是如梁任公所說的，「我們觀察他的文法，便知從何處抄來」呢？實際上，情形未必完全如此，這裏舉一個例子作為反證。

試讀下列兩段文字：

《尚書·堯典》：

眚災肆赦，怙終賊刑。

《尚書·康誥》：

人有小罪，非眚，乃惟終，自作不典，式爾，有厥罪小，乃不可不殺。乃有大罪，非終，乃惟眚災適爾，既道極厥辜，時乃不可殺。

比較這兩段文字，不但文字、意義相合相襲，而且很明顯的，《康誥》比《堯典》詳備。如果根據上述的方法來推論的話，毫無疑問的，應該是《康誥》鋪衍引申了《堯典》，《康誥》晚出而《堯典》在前。根據晚近學者們的考訂，情形卻完全相反——《書序》謂《康誥》為成王封康叔於衞之誥，屈萬里先生主張乃康叔受武王封於康時之敕誥，二說雖略有差異，而

《康誥》爲西周初期之作品，却無可置疑。至於《堯典》，岑仲勉及屈萬里等諸先生都認爲是戰國時代的作品，大概正確可靠。如此說來，是晚出的《堯典》提綱絜領地把詳備的《康誥》摘錄下來，成爲「前詳後略」的另一種情形了。這種例子雖然不多見，不過，從事古籍辨僞學者却不得不認眞考慮；換句話說，從文章上來辨別古籍的眞僞及其成書時代也未必百分之百的可靠，未必「妙的很」「非常標準」，我們還是應該謹愼從事，才庶幾乎不會委屈了古籍。

錢賓四先生曾經根據文章的體裁和修辭學來考察《老子》的成書年代；此類辨僞方法，也屬於「從文章上辨別」這一大類。當時的張福慶就曾對他提出許多反證，有一段話說：

文體演進的階段的區分，在時間上是參差不齊的，同一時間內每每會有兩種以上通行的文體；在界限上又是模糊不清的，同一的作品每每因各人看法的不同，而獲得兩種以上的文體的徵號；所以用這種方法去考察某種著作的時代，祇是一種約略的估計，決不會得到精確的結論。用這種方法去鑑別兩種作品的先後，其可能性之大小與這兩種作品距離年代之久暫為正比。距離年代愈久則可能性愈大，愈暫則愈小。然《老子》年代與《論語》、《墨》、《孟》、《莊》、《荀》諸書年代相距，無論那一方面說，都至多不過百餘年少則數十年或十數年耳。試問在這樣數十年或百餘年的短時間內，文體會有多大的變化呢？又試問對此相距不過數十年或十數年的作品，怎麼會從文體上鑑別出時代的先後呢？所以用這種方法來解決《老子》成書年代早晚的爭論，我根本疑惑他的可能性。

這段話說得非常中肯，運用文章體裁來從事古籍辨僞的學者們，應該認眞考慮這段話。至於用名詞的時代性來考訂古籍，乍看之下似乎很可靠，然而，往往因爲證據蒐羅不完整及古籍未翻遍等原因，而寃枉了古籍。梁任公考訂《老子》晚出時，曾這麼地說：

還有用「仁義」對舉的好幾處；這兩個字連用，是孟子的專賣品，從前像是沒有的。

但是，這眞的是孟子的專利品嗎？在這之前，「像是沒有的」嗎？《史記》引周初所制《謚法》云：「仁義之所往爲王。」《左傳》云：「酒以成禮，不繼以淫，義也；以君成禮，弗納於淫，仁也。」《謚法》爲周初作品；《左傳》成書雖晚，不過，材料來源應該很早；二書皆「仁義」對舉，可見梁說也未必完全正確。《老子》確是「仁義」對舉，如「絕仁棄義」、「先仁而後義」及「大道廢，有仁義」等，

古籍辨僞學發展到今天，雖經學者們規範出許多方法和條例，俾便從事斯業者有所遵循，不過，古籍的內容是靈活的，而方法和條例却是刻板的，我們斷斷不能用靈活的去牽就刻板的，以至於寃枉委屈了珍貴的古籍。本章對方法及條例加以討論，並舉出一些反證，目的就是要告訴初學者們，在運用各類方法及條例之際，切忌武斷和迷信，以致於受方法及條

例所蒙蔽而誤得結論。

❶梁任公在《中國歷史研究法》第五章第二節內，也有似此的主張，云：「其書前代從未著錄，或絕無人徵引而忽然出現者，十有九皆僞。」

❷見拙編《續僞書通考》，（臺灣學生書局出版）下册頁一五七三～一五七九。

❸見拙編《續僞書通考》，（臺灣學生書局出版）下册頁一五七九。

❹見《梅溪王先生文集·前集》卷十三。

❺錢先生又有《三論老子書之年代》，見《人生》二十卷十期內，余未見此文。

附論·辨偽的態度

不辨別偽書，眞的偽的混淆，有不好的結果。辨別偽書的人，把偽書辨別出來，使我們知道那一種是偽書，那自然是可喜的事。但是辨別的人，如果把眞書任意的攻擊，說成它是偽的，使眞的反被湮沒；或者眞是偽造的，反而看不出來，這也是很不好的事。辨別的人越多，所說的就越雜亂，這人說是眞的，那人又說是偽的，這人疑惑是偽的，那人又疑惑是眞的，使得我們反而迷糊了，不知那一說是正確的，這也是一個問題。要解決這個問題，要免掉辨別的不正確，就應該有一種辨偽的規律，爲辨偽的人所應當遵循的正軌。不違背這規律，所辨別的結果可以是正確的。我們要考查他的結論是否正確，可以考查他是否合於這規律。這辨偽規律，應當是合於客觀事實的，依我個人的意見，擬定幾條如下：

一、不可和其他目的相混淆

我們要辨別偽書的目的，是要求得知某一書的眞實情形。第一能辨別出這一書不是某時某人撰的，和它偽的程度怎樣；第二能進一步辨別出這書是某時某人撰的，或有意偽造的。簡言之，就是求眞的目的。換句話說，目的就在於求客觀的眞實，不過對象是某一部書。以前的儒者有爲了擁護聖道而辨偽的，凡不合於他們所謂聖道的書，就是偽書。如以堯、舜爲聖人，遇着說堯、舜好的記載，就認爲是眞的；遇着說堯、舜不好的記載，就認爲是僞的。又如以周武王爲聖人，《逸周書·克殷》、《世俘》兩篇記武王的殘暴，就以爲是後人所僞造，不是眞的周書。如這樣的把擁護聖道的目的和辨別僞書的目的混而爲一，是不合於辨僞的規律的，結論不見得是正確的。

又如因學術或政治主張的派別不同，遇有某部書或某書的某部份認爲是僞的，於我派有利，就多方辨明它的僞；若認爲是眞的於我派有利，就多方辨明它不僞，而於我派不利的地方就抹殺了不說。這是爲自己一派爭勝的目的，不是辨僞的目的，所辨的結論，違背了辨僞規律，不會是正確的。

又如辨別僞書的人，務求多發現僞書，以推翻前人所說，以炫耀自己的學識才能，就會多方的周納，強詞奪理，吹毛求疵的，以斷定書的僞。一人唱之，衆人不加深究而和之，積非成是，使眞的湮沒變成僞的。這樣好像是爲辨僞而辨僞，專以辨僞爲目的，而實際上是以矜奇好異爲目的，以破壞爲目的，以搗亂爲目的，是不合於辨僞規律的。

以前的書，是我國的文化遺產，我們應當辨別它們的立場、觀點、方法，雖然它們局限於時代性，不能以現在的尺度來衡量，但我們應當辨別它們是有進步性或保守性，或開倒車的，是有建設性的，或沒建設性的，這是我們對於文化遺產一部份——書的淸釐應有的態度。此事固然於辨別書的眞僞有關，但和辨別僞書的目的，也是不可混而爲一的。因爲辨僞並不是以它們有進步性或保守性、有建設性或沒建設性爲書的眞僞的標準，所謂這事於辨別書的眞僞有關，那就是要在眞書的基礎上做這工作。若是對象是僞書，當作眞書看待，那所得的結果就不正確了。若是知道它是僞，和它僞的程度，就它的眞實撰人眞實撰著的時代和書內所描述某時代的情況，去做這工作，所得的結果也可能正確的。因此做這工作的目的，雖然和辨僞書的目的是兩件事，不可混而爲一，但是這兩件事有密切的關係，不經過依辨僞的規律而肯定這書的撰人和時代，上述的工作，不免徒勞無功。根據了辨僞的規律而肯定書的撰人和時代，若不做這工作，可能誤用了這書，受它的遺毒遺害。這不但是說明了辨僞的重要性，更可見辨僞書這一事的重要性。所以，我們要判斷一書的立場、觀點、方法，是有進步性或保守性，有眞理性的或反眞理性的，一定要以根據辨僞規律而辨別的書做對象，才能做出正確的結論。

二、不可有主觀的感情的成見

辨僞書是要求得客觀的正確的實在。若辨僞的人用主觀主義的意識，預先存有一個成見，那辨別所得的結論，就不會正確。例如有門戶或派別的關係，要求自己主張的勝利，就違背上一條的辨僞規律，就會用主觀主義感情論去處理這個問題，陷於錯誤。若辨僞時雖不存打倒彼派的目的，然自己門戶派別的見解不能破除，就會隱然有先入爲主的見解存於腦海中，或在自己也不能感覺到有這樣，於是凡遇和我派不相合或有礙的，雖不僞的也不免多方的挑剔，故意的周納，以爲是僞。若遇和我派相合或有利的，雖是僞的，也不免多方的曲解，故意巧爲迴護，以爲不僞，或有意或無意湮沒或忽視了於我派不相合或不利的證據，而專找尋或多舉於我派相合或有利的證據。或雖不至於這樣的極端，但預有成見，已先傾向於僞或不僞的一方面。傾向和假定不同，如爲論證方法，先假定某書或它的某部爲僞或不僞，然後一一列舉其證據，以得出論證的結果與假定相符或不符，這方法是可用的。若不是這樣假定，而是傾向的態度，就不免已偏向於一方面進行，會失掉公平的判斷，得錯誤的結論。

三、不可以一般來概括全體

不可因書內一部份的僞，或一句數句的話，或所用的名詞和著者的時代不合，因而肯定這書全體是僞。因一部份或者有爲後人所竄入，字句間或者有因傳寫的錯誤，而相沿或後人所改的。例如清代所刻的古書，其中玄弘等字，皆作玄弘，以避清朝皇帝的諱，不可因此就肯定是清代的僞品。漢、唐所刻的書，也有因避諱而改字的，也不可就肯定是漢、唐人的僞品。總之，不能以一種孤立的證據來定是非，還要參以他種證據，綜合起來，才能肯定。

四、不可和書的價値問題相混淆

辨僞祇是辨明某書確非某人所作，更進一步辨明此書全部或部份爲某時代某人所作，以還它的眞相。並不是說是某人所作，這書是眞，就有價値，不眞就沒有價値。因爲書的價値是另外一個問題，雖大多數僞作不及眞，然而儘有書是眞的而沒有什麼價値，如王安石說孔子的《春秋》是斷爛朝報，他的意思也就是說《春秋》雖然眞是孔子做的，也沒有價值。也有書雖是僞的，而有相當價値，如張湛僞造的《列子》，可用來考查晉人的思想。《本草》雖假名神農，《素問》雖假名黃帝，但此書在醫學上是有用而有很高的價値的。

五、不可和書中所說的眞僞問題相混淆

書內所說的事實的眞僞，或理論的眞僞，是另外一個問題。不能因爲書是眞，就認爲它所敍的事實都確實，所說的理論都正當。例如《春秋》爲孔子的眞書，號稱信史，而魯君被弑的都書卒，書眞而事有不眞。又不能因書內所敍的事實不眞確，所說的理論不正確，而認這書是僞的。有時雖因爲這點而發現書是僞的，但不是一般的標準。

六、不可和書的存廢問題相混淆

辨別僞書，是要求得客觀的眞實狀況，和書的價値問題不可混淆，和書的存廢問題也不可混淆。並不是經過辨別了，眞的就應該存留，僞的就應該廢棄。可能有書雖不是僞造，而它本身沒有什麼價値，沒有保存的必要的；有的書雖是僞造，而它本身確有價値，有値得保存，批判的採用，或可留作參考之用的。

（錄自張心澂《僞書通考·總論》〔新版〕）

第七章 示例

前兩章已經討論了古籍辨僞學的方法，並且檢討了一部分辨僞方法的可靠及可行程度；從這些討論的過程中，我們逐漸產生一個經驗——古籍是活生生的，是有生命的，而辨僞方法却是刻板的，機械的，在公式化的辨僞方法的「包剿」「圍襲」之下，部分古籍終於在無言以爭辯之下被判爲僞託，失去了光彩。另一方面，一部分從事古籍辨僞的學者經常抱着主觀的態度，以「每辨必僞」「逢書必假」爲一逞快之事，無端端地委屈了許多古籍，使許多古籍黯然失色。在這兩方面的影響和冲擊之下，我們幾乎感覺到，時代愈晚，僞書就愈多，而眞正有來歷的古籍似乎也就愈來愈屈指可數了。

似此枉屈古籍的風氣，應該以清季以及最近百年來最爲旺盛。梁任公《古書眞僞及其年代》內有一附表，將明清三家討論過有問題的古籍製成一對照表；我們將這份對照表加以統計，藉以瞭解明清二朝對古籍眞僞的看法的逐漸轉激。

辨僞著作 / 僞書性質 / 數量		《諸子辨》	《四部正譌》	《古今僞書考》
有問題的古籍	疑	三		
	非作者自著	一二	二一	一三
	僞	八	五九	六六
	眞僞相雜	二	一三	四
小計及百分比		二五 五六·六%	九三 八九·四%	八三 九二·二%
書不僞，書名僞				二
眞		一九	六	
其他			五	五
共計		四四部	一〇四部	九〇部

這份統計表清楚地告訴我們，時代愈晚，所辨認出來的僞書愈多——宋濂考訂四十四部書，被認爲有問題的有二十五部，佔百分之五十六點六；胡應麟考訂一百零四部，有問題的九十三部，佔百分之八十九點五；到了清代的姚際恆，他只考訂九十部書，被判定有問題的就有八十三部，佔百分之九十二點二。百分比的增加，即證明對僞書的看法的轉激了。又試讀這張附表：

〔明清三家對子部古籍真僞的看法〕

子部古籍（部分）	《諸子辨》	《四部正譌》	《古今僞書考》
《鶡冠子》	眞	僞雜以眞	僞
《列子》	後人會粹而成	眞雜以僞	僞
《鬼谷子》	眞	僞	僞
《孫子》	眞	無可疑	未知誰作
《吳子》	眞	戰國人掇其議論成編	僞
《尉繚子》	眞	無可疑	僞
《商子》	眞		僞
《公孫龍子》	眞		僞
《孔叢子》	僞	眞疑僞	僞
《文中子》	僞	眞僞相雜	僞
《愼子》	眞		僞

前附表所開列者，絕大部分是三家所共同討論過的古籍；宋濂認爲「眞」的子書，姚際恆幾乎一概列爲「僞」；胡應麟持保留態度的，姚際恆也都判爲「僞」。態度的轉激，意見的轉偏，似乎時代愈晚而愈顯著。到了清末民初，特別是古史辨學派盛行以後，情形更是激烈，許多古籍都被劃入僞託的行列內，使得初學者瞪目結舌。

時代愈晚，所辨認出來的僞書愈多——這個趨勢是不是完全正確呢？讀過了前一章《辨僞方法的檢討》後，就可以明白，這個趨勢並不完全正確。刻板、機械及公式化的辨僞方法，有時的確委屈了許多有生命有價值的古籍。如果說僞託的古籍會影響我們對古史的認識，必須認眞加以汰除；那麼，一部來歷清白、可靠可信的古籍被判爲僞託，汰除在學術研究之外，是不是也會影響我們對古史的認識呢？答案顯然是肯定的。把僞書當眞書來看待固然荒謬，把眞書當僞書來看待也同樣令人心寒，無益於學術。因此，本章準備舉出辨僞學上的一些例子，尤其是反面的例子，俾便從事斯業者有所戒惕。

正　例

首先，讓我們舉《列子》爲例。《列子》的眞僞，是近七、八十年來討論得最激烈、意見最紛歧的一部子書，翻閱《僞書通考》正、續編，就可以瞭解學術界對此書關心的程度了。

馬叙倫撰有《列子僞書考》，標舉二十件事，力證《列子》書及劉向《序》皆屬後人僞造，結論云：

> 蓋《列子》晚出而早亡，魏晉以來好事之徒，聚斂《管子》、《論語》、《山海經》、《墨子》、《莊子》、尸佼、韓非、《呂氏春秋》、《韓詩外傳》、《淮南》、《說苑》、《新序》、《新論》之言，附益晚說，成此八篇，假為向《序》，以見重。夫輔嗣注《易》，多取諸老、莊，而此書亦出王氏，豈弼之徒所為歟？

認爲王弼或王弼之徒嫌疑最大。馬叙倫所舉的二十種證據——有的從《列子》用後代事證明其晚出，有的從用後代名詞證明其晚出，有的從引用後代書證明晚出，有的從用浮屠事證明晚出，有的從張湛言證明出自王氏；至於劉向《序》，馬叙倫也從所言列子時代及思想不相符合，而證明其僞；歸納起來，至少從七、八個不同的角度提出，看起來似乎考慮周全，方法嚴密極了。

實際上，馬說未必周全嚴密，不少學者就寫論文駁詰他所提出的二十事。比如日本的武內義雄，他寫了一篇《列子寃詞》，就是一篇值得重視的論文；他說：

> 據余考證，劉向之《序》，不是後世之僞作。《列子》八篇，不知經過後人多少之刪改，然大體上，想尚存劉向校定時之面目。余不信《列子》八篇為列禦寇之筆，固不待

言，但以為尚存劉向校定時之形，而非王弼之徒所偽作，是余之主張也。

至於馬叙倫所學的二十事，武內義雄的評語是：「欲據傳聞相異古書中之事，爲決定《列子》之眞僞的材料，頗非容易。」「不過馬教授之想像。」「西方之聖人，指爲佛氏，然從《周穆王篇》載有穆王敬事西極之化人一語而考之，則《仲尼篇》所謂西方聖人，乃道家者流之理想人物，與佛教無關係。」有關武內義雄對「西方聖人」的評語，顧頡剛也有類似的批評：

謂「《列子》『西方聖人』，直指佛氏，屬明帝後人所附益」，則《詩》言「彼美人兮，西方之人兮」，將何以解焉？此論辨舛駁之可議者也❶。

此外，岑仲勉也寫了一篇《列子非晉人僞作》，對馬說持不同的看法。他除了對馬說一一加以駁詰之外，也作了如是的批評：「辨僞貴實證，若片面之辭，則見仁見智，各有所持。」「凡上各事，皆所謂片面之辭。我國舊籍，展轉鈔之之處，不可勝數，《列子》集於戰國，則《列》之襲《莊》，自不必辨。無如辨僞者先有『《列子 》成書必在漢後』之前提，成立於胸中，於是凡片辭單節與他書類同者，即斷爲鈔自他書而非其本有，則須知一正一反，具兩面觀，缺絕對之佐證者，未足成確立之論判也。」「辨僞須各方面兼顧，如果祇看一面，其結論即難平允。」

武內義雄、顧頡剛及岑仲勉的評語，都相當中肯。正因爲辨僞者不能各方面兼顧，單執一面的證據就遽下論斷，所以，見仁見智的意見非常多，討論的文章汗牛充棟，而古籍本身的眞眞僞僞還是難明。

晚近若干年來，下列兩篇討論《列子》的論文很値得我們重視：嚴靈峯的《列子新書辨惑》及楊伯峻的《從漢語史的角度來鑑定中國古籍寫作年代的一個實例——《列子》著述年代考》。

梁啓超及顧實都說《列子》爲張湛所僞造，「乃東晉張湛即《列子·注》作者，採集道家之言，湊合而成」，「據張湛序文，則書原出湛手，其即爲湛僞託無疑」。嚴靈峯大著的主要論點即建立在張湛原註的研究之上，他根據張湛的註文旁敲側擊，認爲《列子》斷不是張湛所僞造，推翻了梁、顧的說法，眞是以子之矛攻子之盾，何如不陷呢！

嚴靈峯從張湛的註文裏舉出八個證據，來證明「更足以反證《列子》書決非張湛所僞託」。爲了節省篇幅，我們只引錄有關上述八個證據的案語：

一、此章完全是《黃帝篇》錯簡之重出，且內多脫文；而張湛竟如此愼重予以保留；且云：「二章雙出，各有攸極，可不察哉？」難道作僞的人，不會注意到兩章內容的同異嗎？

二、湛既知公子牟、公孫龍在列子之後，與史實乖違；從而加入書中，又註稱：「恐後人所增益。」作偽者何必多此一舉？

三、作偽者志在為某種思想或教義張目，今竟以相反之思想列入同書；並從而註解之。如此偽託，豈非愚誣！

四、既知「書誤」，而「重出」之，又從而註解疑之。如此笨拙之作偽，世豈有之哉！

五、既「不詳此義」，又「近於鄙，不可解」之語，以之作偽，豈非多費心機乎？

六、既言「恢誕」，又費辭解釋，豈非多餘？

七、既知係《乾鑿度》之文，不足以欺世人；何必混入書中，又從而註其出處；此豈作偽者之所為乎？

八、此處所舉，僅係部分，諸如此類註文尚多。曰「疑」，曰「恐」，曰「當」，曰「未審」；此極盡註家之謹慎態度；而誣之曰「作偽」，此誠學術史上的莫大恥辱。

從這些案語裏，我們大略可以「窺見」此八個證據的內容；除非張《注》有譌誤，否則的話，嚴先生的證據是相當堅強的。有了這篇論文，至少我們已經廓除了「張湛僞造」的疑惑。

楊伯峻是研究語法及虛字實辭的專家，他從語法的角度來審核《列子》的著成時代；在他的大著裏，他作了下列的考察：

第一，考察了「數十年來」這一說法，它不但和先秦的說法不合，也和兩漢的說法不合，却和《世說新語》的某一說法相合。第二，又考察了「舞」字的兩種用法和兩漢人的用法相同，一種用法甚至要出現於西漢以後。第三，又考察了「都」字作為副詞，只是魏晉六朝的常用詞。第四，又考察了「所以」的作為連詞，絕不是先秦的「所以」的用法，而只是後漢以後的用法。第五，又考察了「不如」一語，也和先秦的「不如」不一樣，這種用法，也只是漢朝才有的。

很顯然的，他是晚出論的主張者。除非楊伯峻所蒐羅的例子不夠周全嚴密，否則他的論證是很可靠的。這篇論文提出之後，《列子》早出論者似乎很難自圓其說。

既然楊伯峻認爲《列子》是漢以後的作品，而嚴靈峯又認爲《列子》不是張湛所僞造的，那麼，這部書到底是眞是僞呢？其實，楊、嚴二家的說法並沒有矛盾，正如楊伯峻所說的：

> 那麼，《列子》是不是張湛所僞造的呢？據我看，張湛的嫌疑很大，但是從他的《列子·注》來看，他還未必是真正的作偽者。因為他還有很多對《列子》本文誤解的地方。任何人是不會不懂得他本人的文章的。因此，我懷疑，他可能也是上當者。

我們相信，這是相當持平的說法。

《列子》成書時代的例子給我們許多啓示：考訂古籍眞僞雖然有時可以擧出許許多多的證據，但是，如果這些證據只是片面之辭，不能各方面兼顧的話，是頗難令人信服的。嚴靈峯能直接從張湛注文裏去推斷，楊伯峻敢於從語法史中去討論，截斷個人的情感和假想，的確很值得初學者依循。

討論到這裏，不禁使我們想起古籍辨僞學與其他學科的關係了。晚近以來，不少學者將其他學科引進古籍辨僞學，作爲考訂古籍眞僞的根據。前文楊伯峻以語法爲基礎，鑑訂了《列子》的著成時代，就是一個例子了。又例如劉朝陽撰有《從天文曆法推測堯典之編寫年代》，竺可楨撰有《論以歲差定尚書堯典四仲中星之年代》，即引天文學及曆法學入古籍辨僞學，來討論《堯典》的著作時代；又例如辛樹幟撰有《禹貢製作時代的推測》，即引地理學及地質學入古籍辨僞學，從而推測《禹貢》的著成時代；此外，以礦物學來考察《山海經》，以音韻學來推斷《老子》，以社會制度學來研究《周禮》，豐富了古籍辨僞學的方法和內容，是值得我們提倡的。

反例

在反例方面，我們準備多擧一些例子。

首先，我們以衞聚賢爲例。衞聚賢寫了許多辨僞的論文及專書，而且經常獲得許多學者無法獲得的結論，比如他的《國語之研究》，就是其中的一個例子了。

這裏，依據《僞書通考》正編所摘錄的，將此書的內容簡單地加以敍述，以方便作討論和批評。

【作　期】

一、衞聚賢用比較明顯法，證明「卜子夏在魏西河作《左傳》，其徒吳起於西元前三八四年奔楚，帶往楚國，楚人採取《左傳》作《魯語》、《晉語》兩篇。是《周語》、《齊語》、《楚語》、《吳語》係西元前三八四年前之作品；《魯語》、《晉語》係西元前三八四年後之作品」。

二、用記載異同法來研究兩書對同一事實記載的異同，結果證明「《周語》、《齊語》均與《左傳》記載相違，與《晉語》非一人作品；《魯語》與《左傳》記載不違；《晉語》與《左傳》記載相同；《楚語》與《左傳》記載相違；《吳語》與《左傳》記載相違，與《越語》非一人作品；《越語》與《左傳》一部份不違，上下兩篇非一人作品」。

三、用布局異同法，研究「全書各篇布局大多數一致者，必出於一人之手，否則必非一人手筆」，結果是「《鄭語》、《周語》、《齊語》、《楚語》、《吳語》爲一類，《魯語》、《晉語》爲一類」。

四、用文體異同法，研究「全書各篇文體」的一致性，如果「一致者，必爲一人所作，反是則非一人手筆」;結果「《齊語》、《鄭語》、《楚語》、《吳語》、《周語》、《晉語》、《越語上》爲一類,《越語下》另爲一類」。

五、用逞顯本能法,「研究書中記某類事精詳,即知作者長於某類事。若全書一致,當爲一人之作品;否則非一人之作品」。結果發現「《周語》、《楚語》爲一類,《齊語》、《吳語》爲一類」。

六、用文法變遷法,「研究全書文法全同,則爲一時代之作品;否則非一時代之作品」。結果證明《周語》、《楚語》係戰國初年作品,《晉語》係戰國中年作品。

七、用本身考定法,就書之本身考定其作期。結果,得出下列的結論:ⓐ《周語》、《楚語》爲西元前四三一年的作品;ⓑ《齊語》、《吳語》在《周語》、《楚語》後,《魯語》、《晉語》前;ⓒ《魯語》、《晉語》係西元前三八四年後、三三六年前之五十年間作品;ⓓ《越語上》則爲西元前三八四年後之作品,但不與《魯語》、《晉語》爲一類,當較之更晚;ⓔ《鄭語》作於西元前三一四年後;ⓕ《越語下》文體思想均不與各篇同,當係《國語》中最後一篇。

衞聚賢對《國語》「作期」的研究的結論,可從下列附表看出:

篇名	撰作年代	撰述人數
周語、楚語	公元前四三一	一
齊語、吳語	公元前四三一—公元前三八四	一
魯語、晉語	公元前三八四—公元前三三六	一
越語上	公元前三八四以後、更後	一
鄭語	公元前三一四以後	一
越語下	公元前三一四以後、更後	一
全書八國二十一篇，由六人在六個時期輯錄而成。		

接下來，衞聚賢又研究《國語》的寫作地點，茲比照上述辨法摘錄如次以便討論。

【作　地】

一、用記載詳確法，結果證明「《左傳》之作地在晉西河，去越甚遠；故記越事有誤；《國語》記之詳確，其作地當去越不遠」。

二、用記載袒護法，證明《國語》是楚國作品。

三、《國語》「用楚方言爲多」，知爲楚人作品；《國語》也「兼用少數吳越方言」，因吳、越距楚甚近。

四孟子云「楚之《檮杌》」，《檮杌》即楚之《國語》，可知時人得見《國語》爲楚之產品。

有關「作地」方面，衞聚賢的結論是：ⓐ《國語》係近吳越地之作品；ⓑ與楚國有關係之人所作；ⓒ楚國作品及ⓓ時人已見《國語》爲楚國產品。

有了寫作時間及寫作地點的結論之後，衞聚賢下一個步驟就要來力證《國語》的作者了。試讀下文所摘錄出來的結論：

孔子弟子與齊國姓左者有關，而到楚居住，作《國語》者，《史記·仲尼弟子列傳》中之左人郢字行，鄭玄云「魯人」者，最相當。左姓乃齊產。左丘明姓左丘，當原姓左，後居丘地，因姓左丘。左史倚相當原姓左，後至楚為史官，因姓左史。如此，左人郢當原姓左，後移居楚，表示原係左地人，因姓左人；因居楚都郢，故名郢；行者，走也，因由齊遷居楚，故字行。

左丘明乃孔子以前人。左史倚相據《韓非子·說林下》在越滅吳後仍存。假定左丘明之子為倚相，倚相之子為左人郢，左丘明為齊人在孔子前，倚相亦齊人與孔子同時，左人郢係楚人少孔子四五十歲，係倚相由齊奔楚所生。倚相於西元前五三〇年在楚，楚靈王謂其為良史，至西元前四八二年尚存。是倚相以壽八十計，當係五五〇年以前生，奔楚時約二十餘歲，至四八〇年左右卒。其子郢亦以八十歲計，五一〇年左右生。是倚相以四十歲左右而生郢，郢於老年始成《周語》、《楚語》兩篇。孔子四九〇年至楚時，左人郢年二十左右，隨孔子至北方求學，在孔門十年左右，而孔子卒。……《楚語》、《周語》既為左人郢作，則《吳語》、《齊語》其子作，《魯語》、《晉語》其孫作，《越語上》其曾孫作，《鄭語》其玄孫作，《越語下》當更在其後。由左人郢於西元前四三一年作《楚語》、《周語》起，至其玄孫於西元前三一四年後作《鄭語》止，共一百十七年。以四世平均分配，每三十年為一世；《吳語》、《齊語》在《楚語》、《周語》後三十年，為西元前四〇〇年作品，正在前云四三一年與三八四年之間；《魯語》、《晉語》在《吳語》、《齊語》後三十年，為西元前三七〇年作品，時吳起携《左傳》赴楚已十四年，吳起死已十一年。作者在起手中採取《左傳》作此時，下距孟子至梁見《國語》尚有三十四年。在此時期，《國語》當能傳至晉。《越語上》、《魯語》、《晉語》後三十年，為西元前三四〇年作品，上距孟子至梁見《國語》時只數年，恐孟子未及見《越語上》。《越語上》假定再後三十年，為西元前三一〇年作品，《越語下》為更在其後之作品。

千載以來無法解決的大懸案，衞聚賢一手輕易迎刃而解，眞令人折服再三。然而，只要我們細心推敲，就發現衞聚賢不論是在推論上或者證據上，顯現出來的紕漏非常多，就以最後這三段的引文而言，就有太多無法令人贊同的看法。試讀第二段，「假定左丘明之子爲倚相，倚相之子爲左人郢」，「倚相至西元前四八二年尚存，是倚相以壽八十計，當係五五〇年以前生，奔楚時約二十餘歲，至四八〇年左右卒」，「其子郢亦以八十歲計，五一〇年左右生」……，這些論證，有太多「假定」「當係」「亦以」的假設辭語，而這些假設辭語最後却都成爲結論的根據。試問，如此辨僞法怎能令人信服呢？怪不得他能將《國語》的作者考訂得清清楚楚，如何分成若干批，各批分別作成於何時，其作者爲誰，經四代一百數十年而綿延不絕，竟如隔岸觀火，瞭如指掌，令人嘆爲觀止了。

衞聚賢考訂《左傳》及《穆天子傳》等等，都犯上了上述同樣的毛病，因此，我們特地舉他作爲第一反例。

其次，試舉晚近學者討論《戰國策》的作者爲第二反例❷。

有關《戰國策》的作者，劉向在《敍錄》裏已經解釋得非常清楚，他說：

> 所校中《戰國策》書，中書餘卷，錯亂相糅莒；又有國別者八篇，少不足。臣向因國別者，略以時次之，分別不以序者，以相補，除重複，得三十三篇。……中書本號或曰《國策》，或曰《國事》，或曰《短長》，或曰《事語》，或曰《長書》，或曰《脩書》；臣向以為戰國時游士輔所用之國，為之筴謀，宜為《戰國策》。

這段文字，清楚地告訴我們幾件事實：

一、《戰國策》的前身至少有一部分的材料是完整的，它就是劉向所說的「有國別者八篇」；這八篇材料，是以國別爲篇卷的。

二、除了這八篇比較完整的材料外，還有好幾批零亂的材料，這就是他所說的「中書餘卷，錯亂相糅莒」的那一部分。

三、劉向就把那批比較完整的八篇，根據時代的先後，重新加以排比；然後，再把那幾批零亂的材料補充進去，把重複的捨棄了，一共是三十三篇。

四、這幾批中秘的書籍，根據劉向的說法，有《國策》、《國事》、《短長》、《事語》、《長書》、《脩書》等不同的名稱；劉向根據其內容和性質，改名爲《戰國策》。

根據這四件事實來分析，《戰國策》的前身應該是分散的好幾批材料，而不會是一部完整的書。這幾批材料，有的大批，有的很零散；有的時代比較晚，有的時代比較早；有的是縱橫家所作，有的却純粹是史實。至於說它們的作者，劉向說不出，整理這一大批材料時也沒發現，肯定的不會是相同的一個人，《四庫提要》在批評晁公武改隸子部時說：

《戰國策》乃劉向裒合諸記，並為一編，作者既非一人，又均不得其主名，所謂「子」者，安指乎？公武改隶子部，是以記事之書為立言之書，雜編之書為一家之書，殊為未允。

批評得非常正確了。

民國初年，疑古風氣盛行，《戰國策》的作者成爲討論的熱門題目。羅根澤一九二九年發表《戰國策作於蒯通考》，云：

《漢志·縱橫家》雖有《蒯子》，然僅五篇，固非《史記》所云，疑為通說韓信等之言，《漢志·縱橫家》所列，多作者說時君時人之書。「所謂八十一首」者，史明言「論戰國權變」，則必為論述戰國權變之書，與《戰國策》性質全同。又言「通善為長短說」，而《戰國策》亦曰《短長》，曰《長書》，曰《脩書》，脩通修，義亦訓長。然則《戰國策》蓋卽蒯通所論述者也？……然則此書旣出一人之手，又非劉向之作，《史記》又有「蒯通論戰國權變為八十一首」之言，蒯通又善為長短說，為縱橫之雄，與《戰國策》所表現之習性相近，其時代亦恰相銜接，《史》《漢》又不謂他人作《戰國策》，則此書之作始於蒯通，似無疑矣？……蒯通生楚、漢之交，「謂戰國權變為八十一首」，當亦無自己命名，後人以其記戰國縱橫短長之說，遂漫名之為《國策》、《國事》、《短長》、《事語》、《長書》、《修書》，劉向更以為宜名《戰國策》。

認爲作者就是曾經游說過韓信的蒯通。此說一經宣布，驚動學術界，成爲許多人注目的焦點。與此同時，金德建完成《戰國策作者之推測》❸，並且較後發表於《廈門圖書館之聲》

第十一期，略云：

……如是便得發生一個問題：司馬遷見過的《戰國策》，在當時稱為甚麼名稱。依我的假設，卽《蒯通書》。……劉向以前的《戰國策》本來還沒有定出確當的名稱，現在《史記》這段話中蒯通著書是有的，有沒有定出書的名稱也還是疑問，司馬遷只是混說蒯通的書有八十一首，說不出書名來，這情形《戰國策》與《蒯通書》是符合的。……《戰國策》的篇數根據劉校及《漢志》均屬三十三篇。至於《漢志》所記《蒯通》僅止五篇，然而《漢志》所記《主文偃》亦有二十八篇。以二十八篇加上了五篇剛巧也是三十三篇。……更足以使我們相信蒯通、主文偃的書原卽是《戰國策》無疑。……《戰國策》的著者原來不止一人……書名如此的不統一，則其著者為非一人可知。大概蒯通先成五篇，而其餘二十八篇主文偃續，說不定還不止主文偃一人。

金德建似乎還承認了劉向「中書本號，或曰《國策》，或曰《國事》，或曰《短長》，或曰《事語》，或曰《長書》，或曰《脩書》」這些話，將《戰國策》的作者派給蒯通、主文偃以及「說不定還不止主文偃」等人。

羅根澤後來又完成《戰國策作於蒯通考補證》及《跋金德建先生戰國策作者之推測》[4]，除了重述作者為蒯通的論點之外，又修改了金德建「主文偃亦為作者」的說法，他說：「固然五篇加二十八篇，剛好是三十三篇。但《戰國策》的三十三篇出劉向所釐定，原本是否三十三篇，頗有問題；其有國別者，便止有八篇。」很顯然的，金德建之說破綻太大，羅根澤不得不力爲修正。

實際上，羅根澤及金德建的考訂是相當不合理的。劉向是《戰國策》本書的整理者，他親眼見過這幾批材料，而且也親手整理了這幾批材料，尚且無法指出它們的作者，我們生當文獻殘缺的今日，如何考訂出其作者呢？說它們有一名作者是蒯通，是主文偃，實際上是不通的，也失去了意義，因爲《戰國策》原本是幾批不同的材料，連性質也頗有差異，怎麼能夠硬說是一人所編寫的呢？而羅、金二人，竟洞悉一切，知劉向所不能知，言劉向所無法言，如果不是依憑武斷及主觀，恐怕就不致於如此了。從事古籍辨偽學的學者，應當以此爲警惕。

最後，我們要學何天行對《離騷》的考訂爲第三反例。何天行撰有《楚辭作於漢代考》一書❺，《自序》說：「《楚辭作於漢代考》一書，原名《楚辭新考》，余十年前之舊作也。……特爲轉介於蔡元培先生。余……復至中央研究院謁蔡先生，蔡先生留稿匝月，深致嘉勉之意……。蔡先生復爲作者介於北平顧頡剛先生，適頡剛先生有南來之訊，遂留書未發。……民國二十六年秋，余執敎滬濱，友人衞聚賢先生見此稿，慫恿付梓……。衞先生固欲代爲刊行，盛意可感，乃合資暫印百本，以與諸友好商榷。」可知此書深受時人的嘉許。

此書第三章《傳說與史實之對演發展》及第四章《離騷新證》，似乎是作者的力作，考訂出《離騷》的作者不是屈原，而是漢代的淮南王劉安。爲了展示他的論證，玆簡要地摘錄其各要點：

荀悅《前漢紀·孝武皇帝紀》：「〔元狩元年〕，十一月，淮南王安、衡山王賜謀反，誅之。……初，安朝，上使作《離騷賦》，旦受詔，食時畢上。」

高誘《淮南子·敍》：「淮南王名安，厲王長子也。詔使為《離騷賦》，自旦受詔，日早食已，上愛祕之。」

根據這兩條資料，何天行說：「可知《離騷》的作者，明明是淮南王劉安！但歷來都將這一項史實抹煞，而且誰也沒有注意到這一位作者的。」有了這兩條「外在」的證據後，何天行再「就《離騷》的內容上」來考證；他一共擧了十四個證據：

一、春秋時楚人用殷正，屈原既是楚臣，應該採取殷正；然而，《離騷》首段《攝提貞于孟陬兮，惟庚寅吾以降」，用的是夏正，與屈原身份不合。劉安《淮南子》用的是夏正，與《離騷》合，「可證《離騷》中所用夏曆必出於淮南王之手」。此外，《淮南子·天文略》說：「淮南元年，冬，太一在丙子，冬至甲子，立春丙子。」高誘《注》說，這是劉安即位之元年。劉安即位之年已知，但是，即位於那一天呢？却是很難考求。何天行說：「當在漢文帝後元元年（歲次戊寅）正月，是年正月（孟春）十五日爲庚寅日。」他認爲，「此日雖非劉安生日，但這一天必定是在他正當即位的時間，從此可以推測劉安的生辰，和《離騷》『攝提貞於孟陬兮，惟庚寅吾以降』的年月了」。

二、高誘《淮南子·敍》：「安以文諱長，故其所著，諸長字皆曰脩。」《離騷》用了許多「脩」字，如「好脩」、「脩名」、「前脩」、「脩初服」及「信脩」，凡十一見。何天行認爲這更是劉安所作的「最明確的證據了」。當然，《離騷》也用「長」字，凡四見，他認爲那四個「長」字「皆不能不用」，無法避諱。

三、《離騷》中多言香草，歷來學者都以爲象徵賢人忠臣，何天行認爲完全是因爲劉安「好神仙黃白之術」，所以，「一些可以製藥成仙的草木在《離騷》中特別多」。

四、漢武帝平定西南夷後，與歐亞間水路交通乃開，域外物品如桂、菌桂開始流入中土。《離騷》中多言「桂」、「菌桂」與香草，可知《離騷》爲漢代劉安所作。

五、《離騷》內有飄忽的神遊，與屈原投水自盡之事不合，與淮南王劉安好神仙黃白之術相符，可知爲劉安所作。

六、《離騷》自「帝高陽之苗裔兮」至「又重之以修能」，乃劉安的自序；自「扈江離與辟芷兮」至「何不改乎此度也」，乃劉安寫自己束身自好的性格；自「乘騏驥以馳騁兮」至「恐修名之不立」，乃寫他的道家政治觀念（雜遊仙思想）及政治期望，《淮南子·主術篇》「夫人主之聽治也……則無由惑矣」，正是《離騷》此段的注解。自「女嬃之嬋媛兮」至「夫何煢獨而不余聽」，乃寫女兒陵勸諫他不要再迷信神仙，然淮南王終不理會；自「依前聖以節中兮」至「固前修之菹醢」，乃寫他的政治思想；自「跪敷衽以陳詞兮」至「余焉能忍而與此終古」，寫他遠遊的寂寞；其他或寫他意識的矛盾，或寫狐疑不決；總而言之，何天行認爲《離騷》的內容與劉安的生活、思想及背景完全相符合。

七、漢武帝平定閩粵、西南夷、西域諸國及朝鮮半島後，與域外交通頻仍，各國文化逐漸傳入中土。荀悅《前漢紀·孝武本紀》西域五十餘國，《淮南子·地形篇》海外三十六國，大都與《山海經》的《海外經》、《海外南經》及《海外東經》的情形相同，而它們都以當時域外交通爲背景。《離騷》即根據這些紀載作爲想像的原料，其神仙思想及廣泛的世界觀，是淮南王時代才能有，決不是戰國時的楚人所能想像得到的。

八、近人以《遠遊》中多遊仙思想，斷定爲漢人作品；殊不知《離騷》內容與《遠遊》完全相同，不過《遠遊》較爲明顯，而《離騷》則易被人誤解吧了。

九、《離騷》云：「雖體解吾猶未變兮，豈余心之可懲？」體解即支解，也就是車裂。何天行認爲車裂是秦代獨創的刑法，《離騷》中既然說到「體解」，當然不是秦以前的作品了。

十、吳桂華《答梁任公書》以爲《楚辭》是古文，到漢代方譯爲今文；何天行認爲此說牽強，「我們若不明瞭《楚辭》並非先秦古文，就容易誤會《楚辭》是戰國時所作。據此，亦可反證《離騷》等俱爲漢代作品」。

十一、《離騷》東、冬部韻相協，與成周時代不同，而與漢代作品相符，何天行云：「就

《楚辭》而言，即舉此一隅，便可以更多一層證明《離騷》等爲漢代的作品了。」

十三、《離騷》中的傳說與神話又見於周秦間諸子書者凡一百二十六條。在此百餘條中，十條「都出於秦代以後的記載，其中羲和見於《尙書·堯典》，「鯉殛于羽山」亦見於《尙書·堯典》，流沙見於《尙書·禹貢》，巫咸見於《周書》僞古文《君奭》及《商書·序》；此外，《離騷》中的神話和傳說，大部分都見於秦代以後的文獻」。

十四、《離騷》：「湯禹嚴而祇敬兮，周論道而莫差。」何天行認爲此二句「分明有蹈襲僞《皐陶謨》的痕跡」。《離騷》又云：「就重華而陳詞。」何天行認爲「重華」最初見於《尙書·舜典》「若稽古帝舜，曰重華」。《皐陶謨》及《舜典》皆秦漢之際的作品，是

十五、《離騷》有些單句和《淮南子》雷同。

以上十四條，就是何天行據以證明《離騷》爲淮南王劉安所作的證據。《離騷》當是漢代始完成。

首先，我們應該肯定地指出，何天行據以證明「《離騷》的作者明明就是淮南王劉安」的兩條資料，恐怕被誤解的可能性極大。《前漢紀》及《淮南子·敍》都說劉安作《離騷賦》，即使《漢書·淮南王傳》也說劉安作《離騷傳》，「賦」、「傳」雖可爭議，但是，劉安作的不是《離騷》，却是可以肯定的。何天行據《前漢紀》及《淮南子·敍》，却看出淮南王劉安「明明」是「《離騷》的作者」，誤解不可謂不深了。其次，班固曾經說：

> 昔在孝武，博覽古文，淮南王安，敍《離騷傳》，以「國風好色而不淫，小雅怨悱而不亂，若《離騷》者，可謂兼之。蟬蛻濁穢之中，浮遊塵埃之外，皭然泥而不滓。推此志，雖與日月爭光可也」，斯論似過其真。

班固是劉安《離騷傳》的目擊者；「國風好色而不淫」至「雖與日月爭光可也」一段文字，就是他轉引自劉安的《離騷傳》❺；如果說劉安寫的是《離騷》，班固怎麼會不知道，又怎麼會引出這段文字來？根據這兩點，就可以知道何天行的說法完全是一種誤解，錯讀資料所造成的。

大前提既然錯誤，極力蒐集其他證據來證明這個大前提，可不是枉費一番心機！何況這些證據尚有商榷的餘地。比如第三條、第五條、第六條及第八條，都是仁智互見的，誰能夠推斷出確實可靠的結論呢？而何天行卻主觀地加以判斷了。又比如第二條、第九條、第十三及十四條，僅憑單詞片語就下結論，恐怕也失之武斷，何況單詞片語中又有例外的情形呢。其他各條似乎比較堅強，但是，也並不完全站得住脚。總而言之，何天行這說法是無法成立的。

古籍是先賢的文化遺產，它們不會說話，也不會行動，但是，卻蘊蓄着熠熠生光的智慧。生當今日的我們，除了珍惜它們之外，應該以客觀的態度來對待它們，讓它們「物盡其用」地發揮其價值和意義，實在不應該感情用事，將它們當作成就自己的一個階梯。本章正例一則，反例三則，蓋有感於晚近古籍辨僞態度的偏差，意欲初學者有所惕戒耳。

❶ 語見顧著《古今僞書考．跋》。

❷ 有關這一部分，請參考拙著《戰國策研究》第一及二章，臺北學生書局出版。

❸ 羅、金之文，並見《古史辨》；羅文在第四册，金文在第六册。

❹ 二文分見《古史辨》第四及六册。

❺ 此書一九四八年四月中華書局出版。

第八章　新趨勢

古籍辨僞學和古史辨僞似乎是雙胞胎的孿兄弟。古籍如果是僞造的，書內所載的古史恐怕就有問題；研究古史的雖然未必一定要同時研究古籍。不過，他卻不可輕易忽視古籍眞僞的問題；所以，它們有着不可分割的密切關係。錢玄同說：「（頡剛）先生所問：『我們的辨僞，還是專在「僞書」上呢？還是並及於「僞事」呢？』我以爲二者宜兼及之，而且辨『僞事』比辨『僞書』尤爲重要。❶」顧頡剛雖然在古史方面建立績業，不過，他同時也整理及刊布了不少古籍辨僞學的書刊。從事古史研究的人，固然不可忽視古籍的眞僞；從事古籍辨僞的人，也應知其對古史的影響和震撼力量。

到了清代，古籍辨僞學幾乎脫離了學術的正軌，如野馬之狂馳肆騁。造成這個局勢並且加重其發展的，是今文學家。清代中葉公羊學派最具影響力的人物劉逢祿，著了一部《左氏春秋考證》對《左傳》作全面性的否定，認爲《左傳》不是一部傳《經》的書；所謂《左氏春秋》，不過和《晏子春秋》《呂氏春秋》同等性質的書，他說：

余年十二讀《左氏春秋》，疑其書法是非多失大義。繼讀《公羊》及董子書，乃恍然於

《春秋》非記事之書，不必待左氏而明。左氏為戰國時人，故其書終三家分晉，而續《經》乃劉歆妄作也❷。

爲了達到「《左傳》不解《經》」的目的，他把《左傳》書法、凡例、君子曰及一切解《經》的話語，都認爲是後人所附益或是劉歆所僞造的；例如隱公元年「君子曰：潁考叔，純孝也」之下，他說：

考叔於莊公君臣也，不可云「施及」，亦不可云「爾類」，不辭甚矣。凡引「君子」之云，多出後人附益，朱子亦嘗辨之。

僅用「不辭甚矣」四字，就將《左傳》「君子曰」否決掉了；其主觀與武斷，令人瞪目結舌。至於說對劉歆的批評和攻擊，幾乎到了俯拾皆是的地步——「劉歆顚倒五《經》，使學士迷惑……欲迷惑《公羊》義例，則多緣飾《左氏春秋》以售其僞」，「凡『書曰』之文，皆歆所增益，或歆以前已有之，則亦徒亂左氏文采，義非傳《春秋》也」，「要之，皆出點竄，文采便陋，不足亂眞也……而附益改竄之跡益明矣」，「不識後有劉歆之徒，狂悖如此」，「……而歆之徒博采名儒，章合佚書，妄造此文」，劉逢祿不必求證就下結論，以及視不同學派如寇讎的作風，竟成爲清末今文學家的榜樣。

清末康有爲的出現，不但在政壇上掀起一陣狂飆，也動搖了整個學術界，造成無比的震撼，歷久而難衰。爲了達到他政治改革的目的，他把古籍辨僞學當作魚肉，任意刀俎，古文經如古文《尚書》《周禮》《逸禮》《毛詩》及《左傳》等等，無不是劉歆僞造依託的；甚至於《史記》《漢書》中凡有關古文經傳的記載，也都是劉歆附益和篡改的。試看他對《周禮》的考訂：

《周官》一篇，《史記》自《河間獻王世家》《儒林傳》皆不著，一部《史記》無之，唯《封禪書》有此二字，其為歆竄入何疑焉。凡作盜皆不敢於顯明，而多嘗試於幽暗也❸。

《史記》不載《周官》，即認爲無是書，這在論證上犯了默證 arguement from silence 的毛病；《封禪書》偏巧有《周官》二字，則認爲是劉歆「竄入何疑」，並且還說「凡作盜皆不敢於顯明，而多嘗試於幽暗」，眞是武斷蠻悍，含血噴人。至於他對《毛詩》的攻擊，更是令人嘆爲觀止，他說：

其云「河間獻王好之」者，以為旁證，皆歆竄附之偽說也。然移文博士不敢稱之，而僅著於《七略》。其偽《易·雜卦》及費氏《章句》，並不敢著於《七略》，而僅以傳之其徒。心勞日拙之情，亦可見矣。

《史記·河間獻王》載《毛詩》，他說是劉歆竄附之辭，所以，劉歆僅著錄於《七略》，連《移太常博士書》也不敢提；情形就如他僞造《易·雜卦》，費氏《章句》，僅私下傳其門徒，不敢著錄於《七略》，「心勞日拙，亦可見矣」。康氏似乎親見劉氏的一切，才不必任何證據，就言之鑿鑿如此，怪不得他力斥劉歆「作盜皆不敢於顯明，而多嘗試於幽暗」。

最離奇的莫過於他對《國語》及《左傳》的考訂了。根據他的說法，《左傳》是劉歆從《國語》裏割裂出來的，他說：

《國語》僅一書，而《志》以為二種，可異一也。其一二十一篇，卽今傳本也；其一劉向所分之《新國語》五十四篇。同一《國語》，何篇數相去數倍，可異二也。劉向之書皆傳於後漢，而五十四篇之《新國語》，後漢人無及之者，可異三也。蓋五十四篇者，左丘明之原本也，歆既分其大半凡三十篇以為《春秋傳》，於是留其殘賸，掇拾雜書，加以附益，而為今本之《國語》，故僅得二十一篇也。

《漢書·藝文志》著錄有《新國語》五十四篇，又著錄有《國語》二十一篇，康有爲說得一點也不錯。不過，只因爲今本《左氏春秋》爲三十卷，今本《國語》爲二十一篇，二書相加恰如《新國語》的篇數，就說《左氏春秋》是從《新國語》割裂出來，未免論斷得太輕易了。劉歆果眞如康氏所說的，具備有「多竄數書，故爲繁重以泯其迹」及「故得肆其改竄，幾於無迹可尋」的本領的話，也不應該愚笨得將「殘賸」的《新國語》，保持其二十一篇卷的面貌以露其破綻。至於劉歆如何改裝《新國語》爲《左傳》，他說：

> 得《國語》與《春秋》同時，可以改易竄附，於是毅然削去平王以前事，依《春秋》以編年，比附《經》文。分《國語》以釋《經》，而為左氏《傳》，作《左氏傳微》以為書法，依《公穀》「日月例」而作日月例，託之古文以黜今學，託之河間、張蒼、賈誼、張敞名臣通學以張其名，亂之《史記》以實其事，改為十二篇以彰其目，變改紀子帛君氏卒諸文以易其說，續為《經》文，尊孔子卒以重其事，徧偽羣經以證其說。

果眞如此的話，劉歆這一趟的「改易竄附」，可眞是一件大工程，遠非他一個人的力量所能完成的。

康有爲考辨《左傳》爲僞書，除了《新國語》與《國》《左》在篇數上巧合之外，還有其他「確鑿的」證據。他說：「《史記·儒林傳》述《春秋》有《公羊》《穀梁》而無左氏。史遷徵引左氏至多，如其傳《經》，安有不敘？此爲辨今古學眞僞之鐵案。」又說：「《史記·儒林傳》《春秋》祇有《公羊》《穀梁》二家，無左氏；《河間獻王世家》無得《左氏春秋》立博士事。馬遷作史多採左氏，若左丘明誠傳《春秋》，史遷安得不知？……又《太史公自序》稱『講業齊魯之都，天下遺文古事，靡不畢集太史公』，若河間獻王有是

傳》。

本沒看到《左傳》，只知道「左丘失明，厥有《國語》」，不知道有傳《經》的《春秋左氏事，何得不知？雖有蘇、張之舌，不能解之者也。」康有爲一再強調，再三堅持，司馬遷根

撇開《史記》大量徵引《左傳》的文字不談，司馬遷在《十二諸侯年表》裏明明就說：「魯君子左丘明懼弟子人人異端，各安其意，失其眞，故因孔子史記，具論其語，成《左氏春秋》。」難道康有爲沒有看到這段文字嗎？不是，他是看到的，不過，他認爲這是劉歆之徒「竄亂」進去。《史記》這段「魯君子左丘明」既是竄亂，那麼，《論語·公冶長篇》與孔子有相同好惡，儼然爲君子的左丘明（「左丘明恥之，丘亦恥之」），又將作何解釋呢？康有爲認爲，這也是劉歆之徒篡亂的。《漢書·藝文志說》：

周室既微，載籍殘缺，仲尼思存前聖之業。……故與左丘明觀其史記，據行事，仍人道，因興以立功，就敗以成罰，假日月以定歷數，藉朝聘以正禮樂。有所褒諱貶損，不可書見，口授弟子。弟子退而異言，丘明恐弟子各安其意以失其真，故論本事而作傳，明夫子不以空言說《經》也。

這段推衍《史記》的話語，不是明白交代了《左傳》的撰述意義和《左傳》的獨立成書嗎？然而，康有爲又加以否決了，他說：「蓋歆託於丘明而申其僞《傳》，……又稱與孔子同觀

史記，僞古《論語》又稱孔子與丘明同恥，蓋歆彌縫周密者也。」所有不利於他的考辨的文字，都被一一否決。似此曲解倒說，試問天底下還有甚麼事情講不通？劉歆花了好大的心血來「彌縫周密」，千幾百年來沒人識破，就只有康有爲一人全部翻覆出來。

在康有爲的考辨之下，古文學派的《周禮》《逸禮》《毛詩》及《左傳》等，都是劉歆一手僞造；此外，他又竄亂其他古籍，將有利於自己的各種文字周密地一一「横插」進去❹，以達其瞞天過海的欺售工作。如此說來，劉歆簡直是個神通廣大，魔力無邊的大僞造家；劉歆以個人血肉之身，如何有此三頭六臂的本領？《漢書．王莽傳》說：

> 元始五年……徵天下通一藝，教授十一人以上，及有《逸禮》、古《書》、《毛詩》《周官》《爾雅》、天文、圖讖、鍾律、月令、兵法、史篇文字，通知其意者，皆詣公車。網羅天下異能之士，至者前後千數，皆令記說廷中，將令正乖謬，壹異說云。

爲了彌補這個缺罅，康有爲根據這段文字，作如此地解說：「元始中，徵天下通小學者以百數，各令記字於廷中，時王莽秉國，尊信劉歆，此百數人被徵者必皆歆之私人，奉歆僞古文奇字之學者也。劉歆工於作僞，故散之於私人，假藉莽力，徵召貴顯之，以愚惑天下。」原來劉歆預先安排這些「異能之士」，假藉王莽的徵召，以遂其愚惑天下之目的。劉歆四年後，被封爲國師嘉新公，才名顯位尊，此時如何能有此力量預作安排呢？錢賓四先生批駁得好，他說：「歆在當時，名位尙非甚顯。同時在朝出歆右者多矣，謂莽尊信歆，推行其僞學，若其時惟歆與莽沆瀣一氣，同謀篡業，此非史實。」❺

到了崔適，爲了把「僞造羣經」解說得更加圓滿，他對《王莽傳》那段文字作進一步的詮釋；他說：

（劉歆）又須多造古文經傳，廣樹證據，而辭繁旨博，非歆一人之力所能勝任也，「乃徵天下有通《逸禮》、古《書》《毛詩》《周官》《爾雅》、天文、圖讖、鍾律、月令、兵法、史篇文字者，皆詣公車，至者前後千數，皆令記說廷中，將令正乖謬，一異說云」，此千數人者，孰不仰體國師嘉新公之意旨，向壁虛造妖誣之言，以備采納，於是羣經皆受其竄亂❻。

崔適把千餘人奉召的事情，直接敍述在劉歆的名義底下，使人以爲完全是劉歆的意旨，加重他蓄意僞經的罪名；又把四年後受封的國師嘉新公，提前在這裏一起敍述，以配合「皆令記說廷中」，渲染僞經事件的周密。經他畫龍點睛，劉歆以國師之尊，召集千餘人「記說廷中」，偏造羣書，就自然印在讀者的腦裏。果眞如崔適所說的，劉歆簡直是扮演清代紀昀的角色，率領大批儒生在修纂《四庫全書》；似此空前大計劃，何以無人知曉，無人記載？事後何以無人追述？誠如錢賓四先生說：「謂此諸人盡歆預布以待徵，則此數千人者遍於國中四方，何無一人洩其詐者？自此不二十年，光武中興，此數千人不能無一及於後，何當時未聞有言及歆之詐者？❼」崔說之荒誕不經，康有爲恐怕也始料不及。

晉入民國，以崔東壁學統自居在古史考辨上掀起革命性的運動，幾乎成爲學術的主流，後來成爲學術界的頂尖人物如胡適、顧頡剛、傅斯年、錢玄同、張西堂、童書業及楊向奎等，無一不是這股運動的參與者和支持者。古籍眞僞的考訂是考辨古史重要方法之一，因此隨着這股運動的波瀾壯濶，古籍眞僞的考訂也逐漸滙爲一條滾滾的大江❽。顧頡剛在《古史辨》第一册的《自序》裏曾說：「有許多僞史是用僞書作基礎的，如《帝王世紀》《通鑑外紀》《路史》《繹史》、今本《竹書紀年》等。」僞書和僞史的關係，古史辨學派知道得非常清楚，所以，他們一開始就宣佈校點編纂《辨僞叢刊》❾，分辨書僞及辨事僞兩種。

古史辨學派高舉「把古史討論出結果來」的大旗幟❿，對傳說中的古史進行非常嚴厲的批判和破壞，從一九二六年《古史辨》第一册的出版，到一九四〇年第七册的發行⓫，十餘年間，形成一大團雪球，愈轉愈大，愈滾愈急，從經書到子學，從傳說到古史，無一不是他們衝鋒陷陣的對象。撇開他們在古史方面的研究不談，他們在古籍辨僞方面持有甚麼態度？採取甚麼樣的作風？造成甚麼樣的影響？是値得我們來討論的。

這裏姑且舉兩個例子來說明。

錢玄同於一九二五年九月曾經寫信給顧頡剛，表明他對《國》《左》的看法⓬；信內說：

《左傳》是真書，但它本是《國語》底一部分，並非《春秋》的《傳》。康長素底《僞經考》與先師崔觶甫先生底《史記探源．春秋復始》中，都說《漢書．藝文志》有《新國語》五十四篇，這是「原本《國語》」，劉歆把其中與《春秋》有關的事改成「《春秋》左氏《傳》」；那不要的仍舊留作《國語》，遂成「今本《國語》」。這話我看是很對的。（下舉證據八條，此略）……綜上所記，此詳則彼略，彼詳則此略，顯然是將一書瓜分為二。至於彼此同記一事者，往往大體相同，而文獻則《國語》中有許多瑣屑的記載與支蔓的議論，《左傳》大都沒有，這更顯出刪改底痕迹來了。劉歆把《國語》底一部分改成《春秋》的《傳》，意在抵制《公羊傳》。《漢書．劉歆傳》說：「歆治左氏，引《傳》文以解《經》。」這就是他給《春秋》跟《國語》底一部分做媒人的證據。

很清楚的，錢氏完全繼承了康、崔的意見，認爲《左傳》是自《國語》割裂出來，僞造竄改而成，所臚列的證據，也不外是淵源於乃師；儘管《國》《左》有時「彼此同記一事者，往往大體相同」，與他們「一書瓜分爲二」「此詳則彼略，彼詳則此略」的原則不相符合，他還是採用康有爲曲解倒說的方法，說成「這更顯出刪改底痕迹」。六年後，錢氏又寫了一篇《左氏春秋考證書後》⑬；在這篇不算短的後記裏，他說得更清楚：

我以為劉申受發明的是：今之《春秋左氏傳》係劉歆將其原本增竄書法凡例及比年依經緣飾而成者，《漢書·劉歆傳》中所云「歆治左氏，引《傳》文以解《經》，轉相發明，由是章句義理備焉」者，卽是他作偽的明證。這一點，劉氏說得最為明白詳盡。但是劉氏還不能看清楚《左傳》的原本到底是一部什麼書。……至康長素，他根據太史公《自序》及《報任少卿書》，又《漢書·司馬遷傳》，知道左丘明的著作只有《國語》……這才把《左傳》的原本弄明白了，原來它不但「體例與《國語》相似」，簡直就是《國語》，可以斷定它決非「相錯編年為之」的。這比劉申受又進了一步了。崔觶甫師繼康氏而考辨此問題，益加精密。他考明《史記·十二諸侯年表》中，……這一大段皆為劉歆之學者所竄入，臚列七證，層層駁詰，語語精當，於是知不但「《左氏春秋》」之名應該打倒，卽拿它與《呂氏春秋》相提並論也是擬不於倫。知今本《十二諸侯年表》不足據，則《左傳》原本之為《國語》益可斷定。

第二年，也就是一九三二年，他完成了一篇相當長的《重論經今古文學問題》，又把相同的見解提出來。錢氏的看法，根據現有的資料來考察，是古史辨派學者所普遍接受的；試看顧頡剛在第五册的《自序》裏說：

劉歆當時在秘閣讀書，見到了左丘明的《國語》，覺得它記載春秋時事十分豐富，大可作為《春秋經》的輔佐；又見許多零篇碎簡的逸《書》和逸《禮》，覺得其中有許多珍貴的材料，也可作為《書經》和《禮經》的補遺……不幸他處在這個時代，不託古竟做不成事。他只得說：左丘明做的《春秋傳》，他是孔子同時人，而且是同志，寫的最得聖人之意；逸《書》和逸《禮》是魯共王在孔子壁中發得的，也是孔子的原定經書。……我們可以用康長素先生的方法，拿《史記》《漢書》的兩篇《共王傳》來比較……。

我們現在再用康先生的辦法，把《史》《漢》的兩篇《河間獻王傳》文提出一校……。古文經傳既為劉歆所建立，要是沒有帮他的人，他的勢力也不會廣大的，因為這種新出的東西誰懂得呢！所以平帝元始四年，在起造明堂、辟雍、靈臺的時候，就「為學者築舍萬區：為博士員，經各五人：徵天下通一藝，教授十一人以上，及有逸《禮》、古《書》毛《詩》《周官》《爾雅》、天文、圖讖、鍾律、月令、兵法、史篇文字，通知其意者皆詣公車，網羅天下異能之士，至者前後千數，皆令記說廷中，將令正乖謬，壹異說云」(《王莽傳》上)，這樣的文化統制政策是多麼的可怕！劉歆一個人，憑你本領大，也大不了多少。但有了這幾千個(「千數」當是以千為數，否則當云千數百人)趨炎附勢之徒，替各種古文經傳及劉歆學說大吹大擂，「古文學派」立刻成立了。

這一段文字，不但說明了顧頡剛通盤接受了康、崔的見解，把劉歆偽造古經當作鐵案⑭，而且也清楚地暴露他承繼康、崔誇大飾偽的態度和作風。

另一個例子是胡適之先生引起的。

胡先生本來是古史辨派的重要人物。『思想更新更急更勇於疑古⑮』，而且還是顧頡剛、傅斯年等人的老師；從《古史辨》第一册的序文和正文裏，就可以看出他們的密切關係。然而，胡先生於一九一九年刊行的《中國哲學史大綱》裏，卻「不曉得為甚麼像他這樣勇於疑古的急先鋒，忽然對於這位『老太爺』的年代竟自不發生問題⑯」地維持了傳統的看法，認為孔子曾經見過比他大「至多不過二十歲」的老子，並且向他請教過禮，後者在「至多不過活了九十多歲罷了」的壽命中，還寫了一部《道德經》。梁任公一九二二年寫了《論老子書作於戰國之末》，提出與胡先生完全相反的見解——《老子》書作成於戰國末年；在這篇文章裏，他從文字語氣、思想系統，司馬遷記述得「迷離惝怳」等等六個「可疑」的角度，來推斷他的結論。

繼梁任公之後，在這個問題上發表意見的，為數非常多；一九二七年張壽林撰《老子道德經出於儒後考》，一九二九年唐蘭撰《老聃的姓名和時代考》，一九三〇年錢賓四先生撰《關於老子成書年代之一種考察》，以及馮友蘭後來出版的《中國哲學史》有關《老子》部分，都主張《老子》成書於戰國時代，支持梁任公的見解。一九三二年六月，顧頡剛發表了他的力作《從呂氏春秋推測老子之成書時代》，他說：

《呂氏春秋》……的作者是很肯引用書的，所引的書是不憚舉出它的名目的。……《呂氏春秋》的作者用了《老子》的文詞和大義這等多，簡直把五千言的三分之二都吸收進去了，但始終不曾吐出這是取材於《老子》的，……於是我們可以作一個大膽的假設：在《呂氏春秋》著作時代，還沒有今本《老子》存在。

編纂《古史辨》第四册的羅根澤，要到該年的九月才發表意見；那一年，他寫了《老子及老子書的問題》，結論是：「至從書的本身，考訂年代，知道不在孔子之前，而在孔、墨之後，孟、莊之前。」在這個問題上，顧、羅兩人很明顯的，也沒有失去古史辨派一路來詆斥傳統的態度和作風。

由胡先生及梁任公所引起的「老子大論戰」，雖然和康、崔沒有太直接的關係，不過，這一系列的考辨文章，不但暴露了當時學者們因襲自康、崔考辨古籍眞僞的態度和作風，也再次考驗了他們考辨古籍的方法和論斷。胡先生於一九三三年五月曾經發表了一篇《評論近人考據老子年代的方法》⑰，總論這一次的大論戰；從這篇文章裏，我們就可以看出當年考訂古籍方法上的一些問題了。

■用「丐辭」來論斷

所謂「丐辭」，胡先生曾如此地解說：「在論理學上，往往有人把尚待證明的結論預先包含在前提中，只要你承認了那前提，你自然不能不承認那結論了；這種論證叫做丐辭。譬如有人說：『靈魂是不滅的，因爲靈魂是一種不可分析的簡單物質。』這是一種丐辭，因爲他還沒有證明(1)凡不可分析的簡單物質都是不滅的，(2)靈魂確是一種不可分析的簡單物質。」

在辨別《老子》成書時代的問題上，馮友蘭的三個證據是：

(1)孔子以前無私人著述之事；

(2)《老子》非問答體，故應在《論語》《孟子》後；

(3)《老子》之文體爲簡明之『經』體，可見其爲戰國時之作品。

馮先生知道這三條證據都是「丐辭」，不過，他卻說：「若只舉其一，則皆不免有邏輯上所謂『丐辭』之嫌。但合而觀之，則《老子》一書之文體、學說及各方面的旁證，皆可以說《老子》是晚出，此則必非偶然也。」馮先生是從事哲學思想研究的，他應該知道「合」幾條「丐辭」而「觀之」的結論，是不忠實可靠的；然而，他還是「聚蚊成雷」（胡適云：「聚蚊可以成雷，但究竟是蚊不是雷的。」）。

■用「思想系統」來論斷

追尋哲學思想之前後發展以及歷代嬗變的線索，以便找尋出某書的著作時代，有時確實是有其可靠性，然而，有時卻不無可議之處。相同的幾句《論語》的話「無爲而治者，其舜也歟？夫何爲哉？恭己正南面而已矣」，卻可以有兩種完全相反的結論：

(1)胡適之先生認爲：《論語》書中這樣推崇「無爲而治」，可以證明孔子受了《老子》

的影響——這就是說，老子和《老子》書在孔子之前⓲；

(2)顧頡剛先生認爲：《論語》的話有甚似於《老子》的，若不是《老子》的作者承襲孔子的見解，就是他們的思想偶然相合⓳。

因此，根據思想的前後來論斷成書時代，困難就在於前者有時是個見仁見智的問題，沒有科學性的客觀標準；正如胡先生在舉過上述例子後，曾經如此形容：「這種所謂『思想線索』的論證法，是一把兩面鋒的劍，可以兩邊割的。」

在「《老子》大論戰」中，錢賓四先生的大作完全用這樣的方法來論證；梁任公及顧頡剛先生也部分如此。

■用「引例」來論斷

顧頡剛認爲古人引書皆有凡例可尋，他歸納《呂氏春秋》，覺得該書「所引的書是不憚舉出它的名目的。所以書中引的《詩》和《書》甚多，《易》也有，《孝經》也有，《商箴》《周箴》也有，皆列舉其書名」，而《呂氏春秋》儘管「把五千言的三分之二都吸收進去」，卻「始終不曾吐出這是取材於《老子》」，所以，顧頡剛說：「在《呂氏春秋》著作的時代，還沒有今本《老子》存在。」

胡先生認爲這樣的論證法是「很危險的事業」，是「勞而無功的工作」；因爲據我們現有的知識，古人並沒有引書例，即使是有，也並不嚴格，正如胡先生所說：

古人引書，因為沒有印本書，沒有現代人檢查的便利；又因為沒有後世學者謹嚴的訓練，錯落幾個字不算甚麼大罪過，不舉出書名和作者也不算甚麼大罪過，所以沒有甚麼引書的律例可說。

因此，將後人引書例強加古人身上，並且藉以作學術上的推測，是有其危險性的。胡先生即舉《呂氏春秋》引《孝經》爲證，一條是《察微篇》的明舉，一條是《孝行覽》的暗用，說明古人引書例是靠不住的；至於說據此前推，那就更值得商榷了。

■證據可靠的程度

前文已經分析過，康有爲在考訂古籍時，不免採用抹煞資料和誇飾證據的手法，以圖得出事前已安排好的結論。顧頡剛爲了要證成《老子》成書於戰國時代，不禁也繼承了康氏這一「傳統」。他徵引了五十三條《呂氏春秋》的文字；根據胡適之先生的分類，有下列四種情形：

(1) 認爲與《老子》書「同」的十五條；
(2) 認爲與《老子》書「義合」的或「意義差同」的，三十五條；
(3) 認爲與《老子》書「甚相似」的二條；
(4) 認爲與《老子》書「相近」的一條。

然後，顧先生說：「《呂氏春秋》的作者用了《老子》的文詞和大義這樣多，簡直把五千言的三分之二都吸收進去了。」又說：「我們可以說，在《呂氏春秋》一書中，到處碰見和《老子》相類的詞句。」

胡先生曾經審查了顧先生這一批資料，看看「是不是眞贓實據」。有關第一種的資料，胡先生說：「所謂『同』或『甚相似』的十幾條……除了這三條之外，沒有一條可說是『同』於《老子》的了。……這幾條至多只可以說是每條有幾個字眼頗像今本《老子》罷了。此外的十多條，都是這樣的單辭隻字的近似，絕無一條可說是『同』於《老子》，或『甚相似』。至於爲數最多的第二種，他說：「其他三十多條『義合』，絕大多數是這樣的斷章取義，強爲牽合。用這種牽合之法，在那一百六十篇的《呂氏春秋》之內，我們無論要牽合何人何書都可以尋出五六十條『義合』的句子。」[20]

從上舉的兩個例子，就可以觀察出古史辨派及其追隨者在古籍辨僞方面，的確是承繼康、崔的餘緒；因此，到了民國初年這一階段，在古籍辨僞學這個範圍內，立刻就展呈出一種現象：僞書愈來愈多，古籍愈推愈晚，而許多前人無法知曉、無法論斷的問題，今人反而知道得更清楚，解說得更明確。

從學術的立場來說，這種現象也許是一種進步；然而，審查了他們的態度、作風和方法之後，我們也許就不會這麼說了。曾經參與其事的楊向奎先生，最近寫了一篇討論古史辨派的文章，他說[21]：

筆者在大學讀書時從頡剛先生學，選讀他的「《尚書》研究」，喜今文家言，也參加古史討論，但在參加辯論的過程中，又懷疑今文家言，對於康有為學風之粗枝大葉有所不滿，所謂劉歆編偽《左傳》《周禮》之說，不過是又一次的「託古改制」而已，於是以當時的大部時間研究《左傳》《周禮》，力圖為劉歆翻案而說明兩書之不偽，如果兩書不偽，則古史辨派的理論根據在許多方面將發生動搖，於是在古史系統上與頡剛先生的看法不同，而與童書業教授「同室操戈」矣。

與楊先生持相同看法的，在古史辨時代開始之際，即已產生；只因勢孤力寡而被淹沒而已㉒。當古史辨派從四十年代結束之後，踏入五十年代，特別是晚近一、二十年，古籍辨偽學似乎有朝轉另一個新方向的趨勢——平實、嚴密及謹愼。儘管產生了另一種現象——若干僞託的古書被「平反」，若干傳統的說法被肯定，看來似乎趨向「保守」和「退步」，與今文學派及古史辨學派迂迴前進，不過，細心考察了他們辨僞的態度和方法後，我們與其說是對今文學派及古史辨學派有所不滿而產生的一種反動，無寧說是學術由粗而細、由疏而密、由泛而精的一種進步趨勢，是一種可喜的徵兆。

根據所蒐集到的資料，這三十年來的辨僞情況可以歸納爲四個趨勢；茲各舉例以說明之。

一　在態度上漸趨平實

自康、崔以下，考訂古籍眞僞都免除不了偏激的態度。康有爲是爲了完成他的政治理想而考訂古籍，所以，不但態度不平，也時涉意氣之爭。至於古史派學派，一方面承繼康、崔餘緒，一方面意存疑古破舊，所以，在態度上也不能令人有篤誠平實的感覺。例如《孫子兵法》一書，司馬遷在《史記》裏早已明說，是春秋時代軍事家孫武的大著，其後代孫臏亦另有軍事的著作。然而，自宋人開始，即疑其「戰國初山林處士所爲」（葉適語），清代《四庫全書》抱着謹愼的態度，維持《史記》原說；到了民國初年，錢賓四先生承日人齋藤拙堂之後，說是戰國孫臏所作，而且孫武還是孫臏的名，「以其臏脚而無名」。資料有限，然而，所知比司馬遷多，所說解的比司馬遷還詳細。似此態度，對古籍而言，恐怕是一件很吃虧的事。

晚近三十年來，情形似乎頗有改觀；茲以賈誼《新書》的考訂爲例，略爲說明。

賈誼的十卷《新書》，宋代晁公武在《郡齋讀書志》裏說：「誼著《事勢》《連語》《雜事》凡五十八篇。考之《漢書》，誼之著書未嘗散軼，然與班固所載時時不同。」對其眞僞，已開始表示懷疑。陳振孫《直齋書錄解題》說：「《漢志》五十八篇，今書首載《過秦論》，末爲《弔湘賦》，餘皆錄《漢書》語，且略節《誼本傳》於第十一卷中，其非《漢書》所有，書輒淺駁不足觀，此決非誼本書也。」判定《新書》絕非賈誼原著。

明代的何孟春從另一個角度來懷疑《新書》，他說：「班、史稱誼所著述五十八篇，春考之今《新書》而竊疑其書篇目之非實也。誼嘗欲改正朔、易服色、定制度、興禮樂，草具其儀法，色尚黃，數用五爲官名，更奏之，今《新書》略不見焉，益足徵孟堅所謂五十八篇者散軼多矣。文帝時匈奴侵邊，天下初定……誼數上疏陳政事，《史》掇著於《傳》，其大略云云……又似一疏，何也？疏中兩著流涕語，迺只匈奴一事耳。」他認爲賈誼生前曾上書建議改正朔、易服色及定制度等，但是，今本《新書》沒有此類文章；賈誼生前數度上書痛陳政事，討論過匈奴侵邊及諸王封地等事，何以今傳《新書》只歸結於一疏而已？因此，他懷疑今本《新書》的篇目，已非賈書之舊。

在清代來臨之前，《新書》眞僞的關鍵似乎維繫於下列三個問題：《漢書》與今本《新書》的關係、改正朔易服色與《新書》的關係以及《新書》本身文字是否淺駁不足觀。盧文弨的《重刻新書序》、周中孚的《鄭堂讀書記》以及《四庫提要》，或在舊巢裏兜圈子，或在舊問題裏左右協調，沒法子推出甚麼新義。姚鼐在他的全集裏說：

> 新書者，妄人僞為者耳。班氏所載賈生之文，條理通貫，其辭甚偉；及為偽作者，分晰不復成文，而以陋辭聯厠其間，是誠由妄人之謬，非傳寫之誤也。賈生陳疏言可為長太息者六，而《傳》內凡有五事闕一。吾意其一事言積貯，班氏已取之入《食貨志》矣，故《傳》內不更載耳。偽者不悟，因《漢諸侯王表》有宮室百官同制京師之語，遂以此為長太息之一。……若其文辭卑陋，與賈生懸絕，不可為量，則知文者可一見決矣。

姚氏雖然頗能利用考據的方法，辨明《新書》有後來語，不過，他的說法還是擺脫不了陳振孫的影響，往更深一層去探究。

民國初年，余嘉錫撰《四庫提要辨證》；在《新書》方面，頗有推陳出新的見解；他說：

王應麟《漢書藝文志考證》卷五謂：「班固作傳，分散其書，參差不一，總其大略。」……則固之掇五十八篇之文，翦裁鎔鑄，煞費苦心，試取《漢書》與《新書》對照，其間斧鑿之痕，有顯然可見者。

余雖然沒作最後論斷，不過，他所提出的「其間斧鑿之痕，有顯然可見者」，頗能致力於《漢書》及《新書》異同的比較研究，確實比前人實在得多。

最近有三篇文章討論了這部書；一篇是王洲明的《新書非僞書考》，一篇是陳煒良的《賈誼新書探原》，另外一篇比較短，是祁玉章的《賈子探微》。這三篇文章，儘管結論不太相同，寫作地點也有差異；不過，從論文呈現的方式及推理的程序來看，我們認爲，這一代的學者在考訂古籍眞僞的態度上，已經逐漸趨向於平實的地步，和康、崔及古史辨學派有顯著的差別。

因爲篇幅的關係，我們只想介紹王洲明的論文。

王氏首先證明，自梁代歷經隋、唐及宋，所傳的《新書》和今本《新書》的篇目和目次，基本上是一致的；他所根據的資料包括了王應麟的《玉海》、魏徵的《羣書治要》、馬總的《意林》以及《子鈔》。今本《新書》和古本《新書》在篇目及目次上相合，並不能據以推斷《新書》非後人僞造；理由很簡單，因爲造僞者逕可根據諸書所著錄的篇目和目次，加以編造及僞託。爲了杜絕這個可能性，王氏進一步仔細考察宋以前典籍中，有關《新書》內容方面的記載情況，以便和今本《新書》相比較。他用過的材料有《漢書》應劭（二條）、文穎（一條）及如淳（三條）的《注》，前二者爲東漢人，後者爲三國魏人；又利用了《北堂書鈔》（二十五條）、《羣書治要》（十四條）、《藝文類聚》（六條）、《初學記》（三條）及《太平御覽》（二十一條），然後，說：「賈誼的作品，在長期流傳過程中有散佚，但是今本《新書》基本保存了賈誼的作品。也就是說，從內容方面看，今本《新書》和古本《新書》也同出於一個系統。……到目前爲止，還沒有充分的證據說明《新書》係後人僞造，倒是有更多的材料證明，它不是一部僞書。」

接下來，他從四個層面來證明「《新書》中的《事勢》部分出自賈誼之手，其《連語》《雜事》部分，除《先醒》《勸學篇》外，也基本肯定出自賈誼之手」。第一個層面，他從《新書》與《漢書》、《新書》與《漢書》應劭《注》引《新書》的對比中，發現「決不是僞作者割裂《漢書》中賈誼的作品僞造《新書》，而是班固選取《新書》的內容作《漢書》」、「是賈誼的習慣用法……顯係班氏加工」。第二個層面，《新書》引十五條《詩經》，王氏考察出其中引《魯詩》最多，又引了逸《詩》一首，與西漢初年傳《詩》的情形相符合，正可以證明《新書》「成書的時代，離賈誼不致太遠」。在這裏，他又考察了《新書》內涉及漢代宮廷的娛樂形式，決非後人所能僞造的。第三個層面，作者考察了全書的遣詞造句，發現「多有重出之處」，「任何人在僞造別人作品時，也不能做到連習慣性用字也模仿得如此一致」。第四個層面，《漢書·貢禹傳》記載，貢禹上書元帝時，引用了《新書》的文字，王氏將二文相互比較，認爲貢禹有意學習賈誼，不但在內容上，連賈誼作品的形式也吸收進去。最後，他說：「我認爲《新書》在流傳過程中，遺漏處有之，錯訛處更多，的確遠不如《漢書》中賈誼的作品流暢易讀。但是，有非常充份的理由肯定它不是一部僞書。」

不管王氏的結論是否完全正確可靠，不過，讀過他的呈現方式和求證次序，我們應該說，這是一篇態度相當平實的論文。作者不但能夠冷靜地掌握問題爭論的癥結，而且，也很能夠平心靜氣地搜索證據來解決問題。康、崔及古史辨學派雖然沒對《新書》表示意見，無法暴露處理此一問題的態度，從而作針鋒相向的對比，不過，「舉一反三」，不是意氣，就是偏激，相信是無法和王氏相較的。

二　在方法上漸趨嚴密

康、崔在古籍辨僞方面所採用的方法，的確是未能令人滿意；踏入民國，古史辨派學者挾其先入爲主的觀念，以破壞古史系統爲快，對古籍眞僞的問題，未免意在聳世駭俗，以致於私心自用。流風所及，不管是當時或後來，也不管是派裏或派外，大部分學者都習染此風。例如郭鼎堂先生在《周易的制作時代》，有一個很驚人的「發現」：

由種種的推論上看來，我覺得這位作者就是楚人的馯臂子弓，這是我在這兒要提示出的主要的一個斷案。子弓的名字又見《荀子》的《非十二子篇》，在那兒荀子極端地稱贊他，把他認為是孔子以後的唯一的聖人。……荀子本來是在秦以前論到《周易》的唯一的一個儒者，使他把同時代的一切學派的代表，尤其是同出於儒家的子思、孟軻，都一概擯斥了，特別把子弓提起來和孔子一道並論，而加以那樣超特級的讚辭，這位子弓決不會是通泛的人物。子弓自然就是馯臂子弓；有人說是仲弓，那是錯誤的了。但馯臂子弓如只是第三代的一位傳《易》者，那他值不得受荀子那樣超級的讚辭。所以在以上種種推定之外，在這兒更可以得到一個堅確的證據，使我們相信子弓定然是《易》的創作者。

郭先生僅憑《荀子．非十二子篇》子弓與孔子並提的幾句話語，就敢於推論出《卦》《爻辭》為馯臂子弓所作的「主要的一個斷案」，其悍勇的確使人瞪目結舌㉓；如果說這也是鑑別古籍眞僞的方法的話，那麼，損失的恐怕是古籍本身了。

晚近數十年來，在古籍辨僞方面，頗能吸取昔日的經驗和長處，將辨僞方法轉向嚴密的境地。茲擧子部聚訟最多的《列子》言之。

《列子》一書，柳宗元已致其疑；高似孫、黃震、宋濂及姚際恆等人，皆不信其古舊。總結他們所致疑的原因，不外下列數端：書中有佛家語、列禦寇其人有問題及書中有楊朱「爲我」之思想。到了《四庫提要》，說法又頗有不同，云：

……是當時實有《列子》，非莊周之寓名。又《穆天子傳》出於晉太康中，為漢、魏人之所未睹，而此書第三卷《周穆王篇》所敘……一一與傳相合，此非劉向之時所能偽造，可信確為秦以前書。……此書皆稱子列子，則決為傳其學者所追記，非禦寇自著。

《四庫》的結論，雖然辭語游離，卻還是一反過去的說法，肯定其爲先秦的作品。民國初年，胡適之先生在《中國哲學史大綱》、梁任公在《古書眞僞及其年代》及顧實在《漢書藝文志講疏》內，都討論了本書眞僞的問題；他們不外從思想、文章及文字三方面着手，證明其晚出。似此辨僞方法，正如胡先生自己所說「一劍兩鋒」一樣，無法作出客觀的斷決；劉汝霖說過：

胡、梁、顧三氏之說，各有理由。但按思想批評文字之真偽，總覺虛無漂渺。梁氏以《楊朱篇》與《莊子》內七篇比較，覺《楊朱篇》乃漢以後筆法，戰國諸子不止莊子一人，各人所著筆法焉能相同？因其不同，而斷為漢以後筆法，未免武斷。至於提倡縱恣肉慾，卽斷為晉代清談家頹廢思想，更令人難信。

可見三家的說法是不能令人滿意的。

其後，馬敍倫著《列子僞書考》㉔，標舉二十個證據，推翻劉向《敍錄》和八篇《列子》，結論說：「蓋《列子》晚出而早亡，魏晉以來好事之徒，聚斂《管子》《晏子》《論語》《山海經》《墨子》《莊子》《尸佼》《韓非》《呂氏春秋》《韓詩外傳》《淮南》《說苑》《新序》《新論》之言，附益晚說，成此八篇，假爲向《序》，以見重。夫輔嗣注《易》，多取《老》《莊》，而此書亦出王氏，豈弼之徒所爲歟？」就歷來考訂《列子》而言，馬氏的文章已經相當綿密，所學例子也非常的多；然而，他的論證未免有臆想之辭，也頗有胡先生所說「一劍兩鋒」的毛病，說其密可，說其嚴恐怕還得保留。日人武義內雄即撰《列子寃詞》㉕，逐條批駁，認爲要證明《列子》爲僞書，「不可不有確據」；岑仲勉也撰《列子非晉人僞作》，針對馬文逐條討論，認爲「皆所謂片面之辭」，不足憑信。誠如劉汝霖所指出的，《列子》書中所載者不盡符合史實，若干文句也非盡張湛所能瞭解；如果「此書爲湛僞造，竟寫出自己不明之語，又寫出與事實不合之事，而加以解釋，則騙人技倆，未免太拙」。像這些鐵證，是主張「《列子》晚出」「《列子》爲張湛所作」者所無法解決的；然而，辨僞者卻避而不談，僅從思想、文章等方面着手，未免不能令人滿意。

晚近有三篇討論《列子》眞僞的文章，值得我們注意：楊伯峻的《從漢語史的角度來鑑定中國古籍寫作年代的一個實例——列子著述年代考》，是本文所要介紹的一篇。

正如楊文標題所揭示的，本文是從語法發展的歷史來考察《列子》的成書時代，和過去學者從思想、文字及文章着手相較，應該是更具科學的嚴密性；如果運用得適當的話，未始不可得出客觀的結論。楊文一共舉出五類例子：

1.《天瑞篇》：「今頓識既往，數十年來存亡、得失、哀樂、好惡……。」

2.同上：「事之破僞而後有舞仁義者，弗能復也。」《仲尼篇》：「爲若舞，彼來者奚若？」

3.《黃帝篇》：「一朝都除。」《力命篇》：「都亡所不信。」《楊朱篇》：「都散其庫藏珍寶車服妾媵。」

4.《說符篇》：「歧路之中，又有歧焉，吾不知所之，所以反之。」

5.同上：「進曰：不如君言；天地萬物與我並生，類也。」

這些句子的語法，頗與先秦不同：「第一，考察了『數十年來』這一說法，它不但和先秦的說法不合，也和兩漢的說法不合，卻和《世說新語》的某一說法相合；第二，又考察了『舞』字的兩種用法，一種用法和兩漢人的用法相同，一種用法甚至要出現於西漢以後；第三，又考察了『都』字作爲副詞，只是魏、晉、六朝的常用詞；第四，又考察了『所以』的作爲連詞，絕不是先秦的『所以』的用法，而只是從漢以後的用法；第五，又考察了『不如』一語，也和先秦的『不如』不一樣，這種用法，也只是漢朝才有的」（楊文）。

於是，他如此作結論：

《列子》託名為先秦古籍，却出現了不少漢以後的詞彙，甚至是魏晉以後的詞彙，這是無論如何說不過去的。託名春秋作品的《老子》出現了戰國的官名，有人為之解脫，說是「雜入之《注疏》」，雖然「遁詞知其所窮」，但仍不失為「遁詞」。《列子》的這種現象，恐怕連這種遁詞都不可能有了。除掉得出《列子》是魏晉人的贋品以外，不可能再有別的結論。而且，根據《列子》的張湛《序》文，《楊朱》《說符》兩篇是張湛逃亡散失以後的僅存者，那麼，這兩篇的可信程度似乎較高。但從這篇論文所舉發的情況看來，《楊朱篇》有「都」，《說符篇》有「所以」、「不如」，都不是先秦的用途，這也就可見這兩篇也和其他六篇同樣地不可靠了。那麼，《列子》是不是張湛所偽造的呢？據我看，張湛的嫌疑很大，但是從他的《列子注》來看，他還未必是真正的作偽者。因為他還有很多對《列子》本文誤解的地方。任何人是不會不懂得他本人的文章的。因此，我懷疑，他可能也是上當者。

楊氏的論證，如果學例適當，版本正確的話，應該是可以成立的。剩下來的是，嫌疑性很重的張湛是否「也是上當者」的問題了。

自從瑞典漢學家高本漢用語法來研究《國語》與《左傳》的關係，爲古籍辨僞學開闢新蹊徑以來，楊伯峻的論文應該是若干備受矚目中的一篇；將語法學引進辨僞學，不但爲後者添嶄新的研究方法，而且，也會帶動後者其他的研究方法，使之漸趨嚴密和客觀性。

三　在論斷上漸趨謹慎

治學貴在謹慎，尤其在論斷之際，不應該作過份的推測，以免失之於不眞實。在古史辨時代，由於意在破古，所以，往往作驚人的論斷。前人不知的事情，到他們手中，莫不迎刃而解，易如囊中探物，明如眼前觀火，讓人覺得前人不善運思何以一至如此。例如《戰國策》一書，劉向編纂時已不知其作者，只能交代其來源爲《國策》《國事》《短長》《事語》《長書》及《修書》等一批材料，然而，羅根澤一九二九年寫了一篇《戰國策作於蒯通考》㉗，斷定作者是蒯通；金德建於一九三二年寫了一篇《戰國策作者之推測》㉘，作同樣的論斷。其後，羅根澤又寫了《補證》及《跋文》，對「《戰國策》的作者爲蒯通」再加以發揮。劉向已經清楚地告訴我們，今本《戰國策》是幾批材料編纂成功的；材料既然多達數批，說今本《戰國策》的作者爲蒯通，似乎沒有意義。難道這幾批材料都是蒯通一人所寫的嗎？果眞如此的話，劉向何以不知？編著《僞書通考》的張心澂在當時就提出反對的意見，可知羅、金論斷之輕率和失當了。

晚近數十年來，在古籍辨僞學這方面，似乎已頗有進步，頗能擺脫前此輕率、浮躁的論斷作風，而漸趨謹慎的境地。茲舉《左傳》作者一例以明之。

《左傳》爲左丘明所作，今天大概已經沒有人相信了。康有爲他們一口斷定是劉歆僞託的，其荒誕不經，前文已敘及，今不贅。然而，其作者爲誰呢？學者們不顧材料的有限以及時代的局限，紛紛羣起推測，作各式各樣的論斷。

衞聚賢著《左傳的研究》，最能「突破」材料及時代的局限，勇於作「全新」的論斷；茲條舉其推理過程如下[29]：

甲、著者的年代

根據書內的預言，斷定作者爲周威烈王二十三年魏斯爲侯以前、威烈王元年以後之人。書中稱「虞不臘矣」及「秦庶長」皆不足據；書中謂季札觀樂知鄭先亡與秦統一，爲毛公作《詩序》時竄入者，亦不足據。

乙、公行的時期

根據《師春》《國策》《韓非子》《史記．吳世家》及《新序》，論定《左傳》於戰國時已公行於世，不待劉歆僞託。

丙、著者的姓名

A、作者非左丘明

B、著者的本能及環境

1.《左傳》文章甚優美，著者係文學家；

2.《左傳》長於描寫戰爭，著者軍事知識特長；

3.《左傳》卜筮多而且佳，著者長於《易》；

4.《左傳》錄詩深切著明，著者長於《詩》；

5.《左傳》續《經》至孔子卒，對孔子及孔門弟子無貶毀之詞，則著者與孔子有關；

6.季氏逐君，著者反袒季氏，且於哀公三年備言季氏家事，則著者與魯季氏有關；

7.《左傳》宣公四年云：「楚人謂乳，穀；謂虎，於菟。」則著者曾經到楚；

8.《左傳》記晉事詳，有美魏之語，是著者與晉、魏有關；

9.《左傳》晉占第一，占百分之二十六，是《左傳》爲晉國作品；

10.「邾」字，山東出品之《公羊》《禮記》用複音讀爲邾婁，後起之《孟子》《莊子》《鄭語》用拼音讀爲鄒，山西出品之《紀年》用單音讀爲邾，而《左傳》與《紀年》同，可知係山西產品；

11.如「走小道」，山西、河東人讀「捷ㄑㄝ經」，山東人讀爲「接ㄓㄝ經」，《左傳》「宋萬弒其君捷」，《公羊》捷爲接，是《左傳》用山西方言，《公羊》用山東方言；

12.《方言》謂「秦晉之間，美色爲豔」，《左傳》桓十二年有「美而豔」，今山西、河東人言「好的很」爲「豔的很」，亦可證《左傳》爲山西產品；

13.衞在《左傳》全部中位居第六，占百分之六，而在獲麟以後位居第一，占百分之二十七，可知著者所在地爲衞；前既證明著者所在地爲晉，則不能又在衞，二者必有一爲所在地，一爲其籍貫。春秋時稱己國已故之君爲先君，《左傳》叙事稱衞君爲先君，可知著者籍貫在衞。

C、具有著者的本能及環境者爲子夏

1.《論語》曰：「文學……子夏。」

2.《孟子》：「北宮黝似子夏。」《韓詩外傳》載子夏於衞靈公前論勇，是知子夏有勇過人，故叙述軍事精確詳明。

3.《說苑》：「孔子讀《易》至於損益，喟然而歎，子夏避席而問。」劉向《七略》有《子夏易傳》。子夏姓卜，或爲太卜之後，易有家傳，故竄太卜之遺法於《左傳》。

4.《論語》載子夏「始可與言《詩》」，子夏長於《詩》，故《左傳》多引《詩》。

5.子夏係孔子弟子，故續《經》至孔子卒。

6.子夏從孔子厄於陳、蔡，脫圍至楚，亦當同行，故明楚之方言。

7.《史記·仲尼弟子列傳》：「子夏居西河教授，爲魏文侯師。」時晉都在魏所轄，子夏得晉國詳細史稿，而著《左傳》，故《左傳》記晉事特多，且袒魏特甚。

8.《春秋繁露》俞《序》：「衞子夏言有國家者，不可不學《春秋》。」則子夏係衞人。

衞氏最後說：「如上所述，則子夏與孔子、魯季氏、左丘明有關係，曾到楚，與晉魏有關，籍貫爲衞，所在地爲晉，其環境與《左傳》著者相符，故著者爲子夏。」

讀完了上述的節錄，大部分的讀者應該驚嘆不已；辨偽在衞氏的筆下，簡直是手中的魔杖，呼風風來，喚雨雨降，令人嘆爲觀止，也感身心痛快透頂，然而，細細研究起來，紕漏多得很，似乎只是一團迷人的烟霧而已。簡單說一句，論斷太過輕妄和草率了。

此外，還有一些學者認爲《左傳》的作者是吳起，錢賓四及郭鼎堂皆有此說。實際上，他們都犯上了「勇於論斷」的毛病；證據只有三兩分，卻說出八九分的結論來。

古籍由於去古太遠，如果沒有新資料、新方法，古人所不瞭解的，我們實在不必強求硬逐，務必探出個水落石出的結論不可。有多少證據，說多少分的話，也許是最妥當的辦法。如果強不知以爲知，又加上先入爲主的觀念在腦際，恐怕離謹慎就愈來愈遠了。最近有幾篇討論《左傳》的文章，在論斷方面頗能反映出謹愼的心意；玆簡介一篇如次：

胡念貽撰《左傳的眞僞和寫作時代問題考辨》，文中對劉歆僞作《左傳》、高本漢《國語》《左傳》研究以及歲星紀事論《左傳》著作時代等問題，都作了分析和批評；底下是節錄自該文最後一節的文字：

以上我們就《左傳》為劉歆偽造說和《左傳》作於戰國時代說等各種說法，作一番考查，發現這些說法都是不可靠。但是為甚麼幾百年來，一直有人提出這樣一些說法呢？主要的原因是《左傳》產生的時代早，包括的內容複雜。……這就發生兩種情況：第一、它所寫的東西多，涉及的問題多，有一些問題，由於年代久遠，書缺有間，不容易弄得很清楚。例如有的事物，似乎是戰國時才有，可是它見於《左傳》，這就引起懷疑……但是，我們應當持審慎態度，不能在這樣一部大著作中拈出幾條就下結論。第二、《左傳》中不可避免地有後人竄入文字。從先秦到西漢，典籍的流傳有一種特殊情況，就是往往有人增入篇章或竄入一些文字。……由於這種原因，人們總可以從《左傳》中找到個別的例子企圖證明它是戰國時人或漢人所作；所找到的正是或可能是戰國時人或漢人竄入的文字。然而找來找去只能找到個別的例子。如果從整個作品來看，無論如何不能令人相信它是戰國時人所作，更不要說漢人了。

胡氏這段文字寫得相當謹慎，對各種問題的產生也作相當合理的考慮和批評；最後，他如此作結論：

總之，關於《左傳》。我們所能知道的是：它作於春秋末年；後人雖有竄入，但它還是基本上保存了原來面目。傳說它的作者是左丘明，否認他的人都提不出確鑿的證據材料，還是無法把舊說真正推翻。如果採取老老實實的態度，目前只能作出這樣的結論。

讀了這個結論，我們對作者謹愼的論斷態度，感到無比的欽佩。

四 在論證上漸趨周備

康、崔以及古史辨派學者們爲了完成他們的「學術理想」，在討論問題及推衍說解的過程中，經常犯上斷章取義、捨棄證據的毛病，因此，在結論還沒有顯現之際，即已展示出論證上的偏頗和匱缺。本文前半部所述康有爲對《國》《左》二書的解說，即可作爲一個最好的例證。

晚近數十年來，考訂古籍眞僞的論文頗能糾正過去的毛病，在論證上漸趨完整和周備。爲了節省篇幅，這裏仍然舉《國》《左》方面的論文來說明。

張以仁先生《論國語與左傳的關係》及《從文法語彙的差異證國語左傳二書非一人所作》、蔣立甫《左傳的作者及成立時代考辨》（第一節《從國語中分出說不能成立》）、趙光賢《左傳編撰考》（第六節《左傳非割裂國語而成》），應該是晚近幾篇討論這個問題的好文章。

這裏摘錄張先生兩篇力作的章節，作爲晚近辨僞論證上完整和周備的示例。

一、《論國語與左傳的關係》章節：

壹　對前人論證的綜述與批評

貳　《國語》與《左傳》非一書化分

1. 著作態度的不同

2. 同述一事而史實有差異

①時的差異（二六例）

②地（包括國名）的差異（一四例）

③人的差異（三八例）

④事的差異（一一五例）

3. 《國語》有而《左傳》無以及二書全同部分

①《國語》有而《左傳》無者（七六例）

②《國》《左》二書全同者（一一六例）

4. 從《史記》上有關《國》《左》的材料以證二書非一書之分

①同於《國語》而異於《左傳》的 ⎫
②同於《左傳》而異於《國語》的 ⎭ 同前

③記述同一故實而其內容兼取《國》《左》二書的（一七例）

5.有關二書不同之旁證

6.結論

二、《從文法語彙的差異證國語左傳二書非一人所作》章節：

壹　前言

貳　《國》《左》二書文法方面之差異

一、對高本漢《左傳眞僞考》中有關論證的介紹與覆按

二、新的證據的提出

叁　《國》《左》二書語彙方面的差異

肆　結論

伍　後記

從這兩篇論文的章節子目，就可以顯示出作者在考慮和探索問題之際，已經達到非常完整和周備的境地，這是康、崔及古史辨學派所做不到的；晚近考訂古籍有此新趨勢，是學術界一大進步。

本文後半部所論，是晚近三十年來古籍辨僞的新趨勢。個別的新趨勢並不是不存在於康有爲及古史辨時代，康有爲及古史辨學派的作風也並不是不存在於晚近的學術界；然而，這

四個趨勢的產生和滙流，不但是學術界所必須有，也是學術界進步的一種力量，更是今日承繼古史辨悍勇作風之後必然有的一種「反動」。今日學術界如果能順此大勢，以平實的態度、嚴密的方法、謹愼的論斷及周備的論證來處理古籍眞僞的問題，則我浩瀚古籍幸甚矣。

（本章原爲《續僞書通考》序文，因與本書有關，特爲輯入，文中所舉例子，有與前文重複者，謹此聲明。）

❶ 見古史辨第一册頁二十四，《論近人辨僞見解書》。

❷ 語在劉著《左氏春秋考證》內。

❸ 語在康著《新學僞經考》內。

❹ 康云：「《漢志》敘仲尼之作《春秋》，橫插與左丘明觀其史記以實之。」

❺ 見錢著《劉向歆父子年譜》，原文發表於《燕京學報》第七期；又見於《古史辨》第五册，頁一〇一—二四八。

❻ 語在崔著《史記探源》中。

❼ 同❺。

❽ 顧頡剛說：「（適之先生）他看了很高興，囑我標點《僞書考》。……但我覺得這樣做去未免太草率了，總該替它加上注解纔是。……因為這樣，我便想把前人的辨僞的成績算一個總賬。我不願意單單注釋《僞書考》了，我發起編輯《辨僞叢刊》。從僞書引渡到僞史，原很順利。」（《古史辨》第一册自序）根據這段文字，可知疑古大將顧頡剛先生是從古籍辨僞學「引渡」到古史辨

偽的；後來他醉心於偽史，將它發展成為一個王國。

⑨ 見顧著《論偽史及辨偽叢刊書》，在《古史辨》第一册頁二〇——二二。

⑩ 同❽，頁一〇三。

⑪ 饒宗頤原擬編纂《古史辨》第八册，論文擬目已成；事見《責善》半月刊第二卷第十二期。

⑫ 此書信後來冠上「論獲麟後續《經》及《春秋》例書」，轉載於《古史辨》第一册下編。

⑬ 見《古史辨》第五册。

⑭ 錢先生一九二九年發表《劉向歆父子年譜》，顧先生此文於一九三四年完成。

⑮ 張季同語，見《古史辨》第四册，頁四二四。

⑯ 梁任公語，同上頁三〇七。

⑰ 《古史辨》第六册頁三八七；《胡適文存》亦有此文。

⑱ 見《中國哲學史大綱》頁七九《注》。

⑲ 見《史學年報》第四期，頁二八。

⑳ 早在胡先生寫此長文之前，一九三一年及一九三二年曾分別寫信給馮友蘭及錢賓四二先生，討論有關考訂《老子》書方法的問題，見《古史辨》第四册。

㉑ 見楊著《論古史辨派》，在《中華學術論文集》內。

㉒ 見何著《訂注賈太傅新書序》。

㉓ 高亨云：「則《彖傳》可能是馯臂子弓所作，《象傳》可能是矯疵所作。」（高著《周易大傳今

注》卷首語)

㉔《古史辨》第四冊內。

㉕見《偽書通考》頁七〇九。

㉖國立師範大學國文研究所《集刊》第六號刊登有朱守亮寫的《列子辨偽》。

㉗《古史辨》第四冊，頁二二九及二三二。

㉘見金著《古叢叢考》，又見《古史辨》第六冊。

㉙《偽書通考》頁三九五。

第九章　專著簡介

雖然古籍辨僞學的歷史可以追溯到先秦去，不過，能夠在這個範疇內留下專著，考訂群書，備述辨僞的原理和方法，却是漢代的事情了。這些專著，包括專論及專書，雖然不至於多得汗牛充棟，却也是從事斯業者所不得不參考和研讀的。本章將有關的主要專論專書，包括群籍眞僞的考訂以及通論辨僞歷史、原理、方法，其能獨立成篇及單行成書者，略按時代的先後，臚列於後，並撮其綱要，述其得失，供初學者審覽。至於專對某書眞僞的考訂的專著，包括專論及專書，因爲數量太多，則不在介紹範圍之內了。

【漢】

班固《漢書·藝文志》

班固撰著《漢書·藝文志》，實際上是以劉歆的《七略》爲底本，而劉歆的《七略》，却又是根據其父劉向的《別錄》，因此，說它和《別錄》有很密切的淵源，書中若干辨僞原理和方法是本諸《別錄》及《七略》，恐怕沒有差錯。

《漢志》雖非專爲辨僞而作，不過，古籍眞僞的考訂在那個時候也是「辨章學術，考鏡源流」的目錄學的一環，因此，辨僞原理及方法在《漢志》中幾乎時而可見，初學者宜留意之。

近人張舜徽撰有《廣校讎略》，曾歸納《漢志》辨僞條例；茲轉錄如次，以供參考❶：

一、明定某書爲依託，但未能的指其人：

《諸子略》小說家，有《黃帝說》四十篇。《注》云：「迂誕依託。」

《兵書略》陰陽類，有《封胡》五篇。《注》云：「黃帝臣，依託也。」

又：《風后》十三篇，《圖》二卷。《注》云：「黃帝臣，依託也。」

又：《力牧》十五篇。《注》云：「黃帝臣，依託也。」

又：《鬼容區》三篇。《注》云：「圖一卷。黃帝臣，依託。」

二、從文辭方面，審定係後人依託：

《諸子略》雜家，有《大禹》三十七篇。《注》云：「傳言禹所作，其文似後世語。」

小說家有《伊尹說》二十七篇。《注》云：「其語淺薄，似依託也。」

又：《師曠》六篇。《注》云：「見《春秋》。其言淺薄，本與此同，似因託也。」

又：《天乙》三篇。《注》云：「天乙謂湯。其言非殷時，皆依託也。」

三、從事實方面，審定係後人依託：

《諸子略》道家，有《文子》九篇，《注》云：「老子弟子。與孔子並時，而稱周平王問，似依託者也。」

小說家有《務成子》十一篇。《注》云：「稱堯問，非古語。」

四、明確指出依託之時代：

《諸子略》道家，有《黃帝君臣》十篇。《注》云：「起六國時。」

又：《雜黃帝》五十八篇。《注》云：「六國時賢者所作。」

又：《力牧》二十二篇。《注》云：「六國時所作，託之力牧。力牧，黃帝相。」

陰陽家有《黃帝泰素》二十篇。《注》云：「六國時，韓諸公子所作。」

農家有《神農》二十篇。《注》云：「六國時，……託之神農。」

五、明確指出係後世增加：

《諸子略》道家有《太公》二百三十七篇。《注》云：「呂望爲周師，尚父本有道者。或有近世又以爲太公術者所增加也。」

小說家有《鬻子說》十九篇。《注》云：「後世所加。」

六、不能肯定的，暫時存疑：

《諸子略》雜家有《孔甲盤盂》二十六篇。《注》云：「黃帝之史；或曰夏帝孔甲；似皆非。」

陳國慶編有《漢書藝文志注釋彙編》，一九八三年中華書局出版，徵引宏博，頗便省覽。

【隋】

魏徵《隋書·經籍志》

《隋志》不但繼承《漢志》的餘緒，在每書下小注內頗能考辨古籍的眞僞，而且在小序內也多所申論，以明造僞的緣由及其始末，因此，頗適宜初學參考。

【唐】

張西堂輯點《唐人辨僞集語》

辨僞風氣雖然大盛於兩宋，實際上，唐代已有相當可觀的成績，只可惜唐人辨僞的言論大部分都分散在文集、序跋及注疏之中，很少獨立成書的。張西堂將這些分散的辨僞言論點輯成書，方便學者，裨益學林，厥功至偉。

本書輯入者有《五經正義》、《隋書·經籍志》、顏師古、劉知幾、司馬貞、啖助、趙匡、杜佑、韓愈、柳宗元、李漢、張籍、劉肅、李肇、皮日休、司空圖、道世、成伯璵、邱光庭及樂史等，或片言隻語，或長篇累牘，並有可觀。惟書中所輯錄者，有的只是考訂僞史，例如劉知幾、啖助及趙匡等人的部分言論，與古籍辨僞沒有多大的關係。此書在顧頡剛主編《古籍考辨叢刊》第一集內，中華書局一九五五年出版，全書九十六頁，卷首有張《序》一則，詳論唐人辨僞的風氣及其前因後果，頗足參考。

劉知幾《史通》

《史通》內的《疑古篇》、《惑經篇》及《申左篇》等，間亦討論到古籍的眞僞，張西堂輯點《唐人辨僞集語》已輯入。

柳宗元《諸子辨》

柳著《諸子辨》一卷，在文集中，是唐代有意爲考辨諸子眞僞及作成時代而從事著述的第一位學者。總計考訂《列子》、《文子》、《鬼谷子》、《晏子春秋》、《亢倉子》、《鶡冠子》及《論語》等書，份量雖然不多，不過，見解新穎卓越，迄今猶爲人所樂引。《唐人辨僞集語》已編入，並詳爲點校。

【宋】

白壽彝輯點《朱熹辨僞書語》

白《序》云：「辨僞書的事，是老早已經有的了。……到了宋朝，這種事情才算比較地活潑起來。如歐陽修之辨《易·繫辭》，王安石之疑《春秋》，鄭樵之攻《詩序》，汪應辰之不信《孝經》，葉適之不信《管子》、《晏子》，差不多辨僞書的事已成了一種小小的風氣。在這種風氣裏，朱熹底收穫最多，只就這一個小册子裏所輯得的說，他所辨的書差不多已達六十種。」朱熹雖然不曾爲考訂古籍眞僞而著述，不過，在他的《文集》、《語類》及《詩傳遺說》中，却分散着許多古籍辨僞的文字，白壽彝用了很仔細的功夫，將它們逐一輯出，並詳爲標點，貢獻甚多。

白《序》中曾歸納朱熹辨僞之理論及證據，文頗可取；兹過錄如次，以供參考：

理論方面，朱熹所應用的是根據常識來推測。如他所說：「孔壁所出《尚書》，如《禹謨》、《五子之歌》、《胤征》、《泰誓》、《武成》、《冏命》、《微子之命》、《蔡仲之命》、《君牙》等篇，皆平易。伏生所傳皆難讀。如何伏生偏記得難底，到於易底全記不得？此不可曉。」（《語類》卷七八，頁一後）「《管子》非仲所著。仲當時任齊國之政，事甚多，稍閑時又有三歸之溺，決不是閑工夫著書底人。著書者是不見用之人也。」（《語類》卷一三七，頁一前）這都是因爲關於這些書底來歷的傳說和一般的經驗不符，因而對於這些書底眞僞發生問題的。

在證據方面，朱熹所用的約有五種。如他說：「《孟子疏》乃邵武士人假作，蔡季通識其人。」（《語類》卷一九，頁一六前）這是因確知作僞者是誰，而知其書爲僞書的。

「胡安定《書解》未必是安定所注，《行實》之類不載，但《言行錄》上有少許，不多，不見有全部。專破古說，似不是胡平日意。又間引東坡說：東坡不及見安定，必是僞書。」（《語錄》卷七八，頁一一後）這是因一書底內容與歷史上的事實不符，而知其書爲僞書的。

「《孝經》，疑非聖人之言。且如『先王有至德要道』，此是說得好處。然下面都不曾說得切要處著，但說得孝之效如此。如《論語》中說孝，皆親切有味，都不如此。」（《語類》卷八二，頁二前）這是因一書中的思想與其所依託的人之思想不符，而知其爲僞書的。

「如『言斯可道，行斯可樂』一段，是北宮文子論令尹之威儀，在《左傳》中自有首尾，載入《孝經》都不接續，全無意思。只是雜史傳中的胡亂寫出來，全無義理，疑是戰國時人鬭湊出者。」（《語錄》八二，頁一後）這是因一書中的內容之抄襲湊合之迹顯然可見，而知其書是僞的。

另外，從文章或詞句上，朱熹也辨別出書底眞僞來。如他說：「《書序》恐不是孔安國做。漢文麤枝大葉。今《書序》細膩，只似六朝時文字。」（《語類》卷七八，頁八前及後）這是從一書之文章的氣勢上，知其書是僞的。

「炳文親唐鑑公諸孫，嘗娶溫國司馬氏……嘗示予以《潛虛》別本，則其所闕之文尚多。問之，云：『溫公晚著此書，未竟而薨，故所傳止此。』……近得泉州季思侍郎所刻，則首尾完具，遂無一字之闕。始復驚異，以爲世果自有完書，而疑炳文語或不可信。讀至剛行，遂釋然曰：此贋本也。……本書所有句皆協韻，如《易》、《象》、《文》、《象》、《玄》、《首》、《贊》、《測》。其今有而昔無者，行變尚協而解獨不韻。此蓋不知『也』字處末，則止字爲韻之例爾。此人好作僞書，而尚不識其體製，固爲可笑。然亦幸其如此。不然，則幾何而不遂至於偪眞也耶？」（《文集》卷八一，頁一〇後）這是從一書之文章的體製上，知其書是僞的。

「《麻衣心易》，頃歲嘗略見之，固已疑其詞意凡近，不類一二百年前文字。……此書所謂『落處』、『活法』、『心地』等語，皆出近年，且復不成文理。計其僞作，不過四五十年間事耳。」（《文集》卷八一，頁一三前）這是從一書所用的詞句上，知其書是僞的，並能斷定其作僞的時代的。

書在顧頡剛主編《古籍考辨叢刊》首集內。

晁公武《郡齋讀書志》

此書雖爲一目錄學專著，但書中頗多考訂古籍眞僞的文字；玆學例言之如次：

《天象賦》一卷，云：「題後漢尙書張衡撰，蜀丞相諸葛亮注。然，注中引用晋事，決非亮也。」《爾雅》，云：「周公作，而有張仲孝友。」此晁公武據書中引述後來之人事，而審知其僞託。

《卜子夏易》十卷，云：「舊題卜子夏傳。《唐藝文志》已亡子夏書，今此書約王弼《注》爲之者，止雜卦。景迂云：唐張弧僞作。」此據其亡而復出，審知其僞。

《亢倉子》二卷，云：「唐天寶元年詔號《亢桑子》爲《洞靈眞經》，然求之不獲。襄陽處士王士元謂《莊子》庚桑子，太史公列傳作『亢倉子』，其實一也。取諸子文義類者，補其亡。今此書乃士元補亡者。宗元不知其故，而遽詆之，可見其銳於譏議也。其書多作古文奇字，豈內不足，必假外飾歟？」此書出時，即已審知其僞託。

《輿地廣記》三十八卷，云：「皇朝歐陽忞纂……或云：無所謂歐陽忞者，特假名以行其書耳。」此由作者無其人，而審知其僞託。

《漢武故事》二卷，云：「世言班固撰。唐張柬之《洞冥記後》云：『《漢武故事》，王儉造。』」此由後人已明言其僞，而知其不可信。

顧頡剛校點《子略》

此書原著者爲高似孫，經顧氏校點，編入《古籍考辨叢刊》首集內。

宋代辨僞，已成獨立風氣，名家輩出，佳作迭見；就中尤以目錄學家晁公武、高似孫及陳振孫，成就最大。古籍辨僞學導源自目錄學，故三家皆於目錄學著作內隨文附筆，考訂古籍眞僞及其成書時代。

顧氏曾條例高氏的辨僞方法，刊於卷端《序》內；茲過錄如次，以供參考：

高似孫的辨僞方法，有三點值得注意：

第一點，他能從年代的量度上提出問題。例如子思，《孟子》上屢次說起他和魯穆公的關係，分明是魯穆公時人；《史記·孔子世家》說「伋字子思，年六十二」，又《魯世家》記哀公在位二十七年，悼公三十七年，元公二十一年，乃及穆公，那麼子思在魯穆公時的年齡當有六十左右。孔子卒於哀公十六年，下距穆公初元七十年，子思勢不能和孔子相接。可是王肅僞作的《孔叢子》却記子思和孔子問答的話言。能在學問上質疑問難總當在二十歲左右，那麼，到魯穆公養子思時，子思豈不是已經九十歲了嗎？所以高似孫擧了《史記》來駁詰道：「當是時，子思猶未生，則問答之事安得有之耶！」這一個方法是柳宗元所常用的，他論《論語》的編輯人和列子的時代都用了這個方法而得著比較正確的結論。

第二點，他能從資料的比較上提出問題。例如《論語》中記曾子語「吾日三省吾身」，到了《曾子》裏便成了「君子愛日，及時而成；難者不避，易者不從。旦就業，夕自省，可謂守業」一大段話；而下文的「年三十、四十無藝，則無藝矣；五十不以善聞，則無聞矣」，直把孔子所說的「年四十、五十而無聞焉，斯亦不足畏也已」移作了曾子的話：所以高似孫指出《曾子》書的「辭費」。……

第三點，他注意到古書有綴輯的現象及古書在綴輯中的發展。例如他評《鬻子》說：「其書辭意大略淆雜……是亦漢儒之所綴輯者乎？」評《曾子》說：「自《修身》至於《天圓》已見於《大戴禮》，……他又雜見於《小戴禮》，略無少異，是固後人掇拾以為之者歟？」評《列子》說：「是書與《莊子》合者十七章，其間尤有淺近迂僻者，特出於後人會萃而成之耳。」評《亢桑子》說：「今讀其篇，往往采諸《列子》、《文子》，又采諸《呂氏春秋》、《新序》、《說苑》，又時采諸《戴氏禮》，源流不一。」他看出這些雖是僞書，但其中保留著若干古代真材料，是僞作的人從各方面檢來而加以編輯的。在這種情況之下，說它全真固不是，說它全僞也不對，我們應當把它分開來看。這個方法也起於柳宗元。柳氏《辨文子》道：「其辭時有若可取……然考其書，蓋駁書也，其渾而類者也，竊取他書以合之者多。凡《孟子》輩數家皆見剽竊，……其意緒文辭叉牙相抵而不合，不如人之增益之歟？或者衆為聚斂以成其書歟？」卽是此意。這種溯流尋源的方法，到了清代學者手裏就成了極銳利的武器，像閻若璩、惠棟、丁晏之於偽《古文尚書》，孫志祖、范家相之於偽《孔子家語》，把偽作者的會萃和綴輯的手段完全揭露了出來，哪些是有所根據的，哪些是把原文修改或誤用的，哪些是偽作者杜造出來的，和盤托出，就再沒有辯護的餘地了。

陳振孫《直齋書錄解題》

本書雖爲一目錄學專著，但是，提要底下，作者對於某書之眞偽及作成時代，時加考訂，於古籍辨偽之方法多所啓發，有益於初學者良多。茲條例其辨偽方法，供初學者參考：

《飛燕外傳》，漢伶玄撰；云：「自言與揚雄同時而史無所見，或云偽書也。」此即梁任公所云「後人說某書出於某時，而彼時人未見此書，而定其爲偽」也。

《尚書》、《尚書注》，云：「或云武帝末民有獻《泰誓》者，或云宣帝時河南女子得之，因疑《泰誓》爲僞書。」此即任公所云「書初出現，已發生許多問題，或已有人證其僞，從而疑之」也。

《元經》，薛氏傳；云：「河汾王氏諸書，自《中說》以外，皆《唐藝文志》所無。其《傳》出阮逸，或云皆逸。今考唐神堯諱淵，其祖景皇諱虎，考《晋書》戴淵、石虎皆以字行。薛收唐人，於《傳》稱戴若思、石季龍宜也。《元經》作於隋世，而太興四年亦書曰若思，何哉！意逸之心勞日拙，自不能掩耶！」此即任公所云「明言甲朝人著作，內容却避乙朝皇帝名諱，可知爲乙朝人所撰」也。

《星簿讚曆》云：「《唐志》稱《石氏星經簿讚》。《館閣書目》以其有徐潁等州名，疑後人附益，今此書明言依甘石巫咸氏，則非專石氏書也。」此即任公所云「由書中用後代地名，審知其晚出」也。

《蔡中郎集》，云：「《唐志》二十卷，今本闕亡之外纔六十四篇，其間有稱建安年號及爲魏宗廟頌述者，非邕文也。卷末有天聖癸亥歐靜所書辨證甚詳，以爲好事者雜編他人之文相混，非本書。」此即任公所云「由書中用後代朝代名，審知其晚出」也。

《越絕書》，云：「無撰人名氏，相傳以爲子貢者，非也。其書雜記吳越事，下及於秦，直至建武二十八年，蓋戰國後人所爲，而漢人又附益之耳。」此即任公所云「由書中所載事實顯然在後者，審知其晚出」也。

《中興遺史》，云：「趙甡之撰，觀其記張浚攻濠州一段，自稱姓名曰開府張鑑；然則此書鑑爲之，而趙竊爲己有也。或曰鑑即趙之婦翁，未知信否。」此陳振孫據書中竄改未盡，考出原著者之姓名，以見其僞託也。

《亢倉子》，云：「首篇所載與《莊子·庚桑楚》同。亢倉者，庚、桑聲之變也。其餘篇亦皆依託。唐柳子厚辨其非劉向、班固所錄，是矣。」此即任公所云「據其全篇抄自他書，審知其僞造」也。

《關尹子》，云：「時取釋氏及神仙方伎家，因疑其本書存而或附益之，或僞託。」此即任公所云「由襲用後代學說，審知其僞」也。

《詩格》，云：「題魏文帝，所述詩或在沈約後，其爲假託明矣。」此即任公所云「已見晚出之書而抄襲引用者」也。

《春秋繁露》，云：「其最可疑者，本傳載所著書百餘篇，《清明》、《竹林》、《繁露》、《玉杯》之屬。今總名云《繁露》，而《玉杯》、《竹林》，則皆其篇名，此決非其本眞。況《通典》、《御覽》所引，皆今書所無者，尤可疑也。」此即任公所云「甲書未佚前，乙書引用其文，至今猶存，而今本甲書不載，可訂甲書爲僞」也。

《至道雲南錄》，云：「知興化軍辛怡顯撰。或云此書妄也。振孫在莆田視壁記，無『怡顯』名字，恐或然。」此陳振孫根據察訪所得，審知書僞也。

宋濂《諸子辨》

此書原在文集中，顧頡剛檢出點校，以單行本發行，在《古籍考辨叢刊》首集中。所考辨子書，在四十種之譜，顧頡剛《序》云：「宋代辨僞之風非常盛行，北宋有司馬光、歐陽修、蘇軾、王安石等，南宋有鄭樵、程大昌、朱熹、葉適、洪邁、唐仲友、趙汝談、高似孫、晁公武、黃震等。宋濂生在他們之後，當然受到他們的影響，所以他的書裏徵引他們的話很多，尤其是高似孫、黃震二家，而此書的體裁也與《子略》和《黃氏日抄》相類。接着這書的，有他的弟子方孝孺《遜志齋集》中《讀三墳》、《周書》、《夏小正》諸篇和他的鄉後學胡應麟《四部正譌》諸書。這一條微小而不息的川流流到了清代，就成了姚際恆的《古今僞書考》，公然用了一個『僞書』的類名來判定古今的書籍，激起學者的注意了。我們現在要表章這些著作，只爲它們的作者肯用一點自己的心思，能給與讀者一個求眞的暗示之故，並不是說他們的批評和考證都是很精確的。老實說，在現在時候，這些著作是早該沒有價值的了。即如此書，試看宋濂在序跋中所說的話，成見何等的重，態度何等的迂腐，他簡直是董仲舒請罷百家的口氣。……總之，他是用善惡功過的信條來論定古書的眞僞的。這種的觀念，在現代的學術界裏是絕對站不住的了。」雖然本書價值並不太高，不過，初學者似乎也應該瀏覽一過，庶幾乎知其源流。

胡應麟《四部正譌》

此書原在胡著《少室山房筆叢》中，賴顧頡剛校點刊佈，始有單行本，今在《古籍考辨叢刊》首集中。

本書分上、中及下三卷，徧及四部古籍，約百餘種之多。顧《序》云：「這本書的著作，後於《諸子辨》約一百三十年。（《諸子辨》成於至正十八、公元一四五八；《四部正譌》成於萬曆十四、公元一五八六）把這兩種比較起來，《四部正譌》確有比《諸子辨》進步的地方。第一，宋氏專論諸子，他則擴充其義例，徧及四部，所論書有一百餘種，視宋氏多出了一倍。第二，《諸子辨》所謂『辨』，乃是辨其『各奮私知而或戾大道』的殊說，其目的欲使『道術咸出於一軌』。這是求善，不是求眞；固然裏邊有許多辨僞的話，但只是旁及的，他的目的總在『罷斥百家』，還是董仲舒的心胸。《四部正譌》則較能客觀，很少衞道的議論，它是以辨僞爲正業的。」本書卷端有《敍論》一篇，綜論僞書二十類；卷末又有《結語》一篇；分論僞書的時代性、僞書的怪字、辨訂僞書的方法、四部僞書的情形以及僞書的程度等；所討論的各種通則，都相當中肯，顧頡剛說「它是以辨僞爲正業的」，洵非虛言。初學者對這兩篇文章，應該細讀以便吸取經驗。

【清】

姚際恆《古今僞書考》

此書原爲姚著《庸言錄》的附錄，鮑廷博將它刻入《知不足齋叢書》內，顧頡剛點校單行，今在《古籍考辨叢刊》裏。

顧頡剛《序》云：「《古今僞書考》只是姚際恆的一册筆記，並不曾有詳博的敍述，它的本身在學術上的價值可以說是很低微的。但他敢於提出『古今僞書』一個名目，敢於把人們不敢疑的經書（《易傳》、《孝經》、《爾雅》等）一起放在僞書裏，使得初學者對着一大堆材料，茫無別擇，最易陷於輕信的時候，驟然聽到一個大聲的警告，知道故紙堆裏有無數記載不是眞話，又有無數問題未經解決，則這本書實在具有發聾振聵的功效。所以這本書的價值，不在它的本身的研究成績，而在它所給予初學者的影響。」所云都符合事實。本書由於隨手作箚，並非精密性的考辨，所以，漏病頗多，顧頡剛在《跋》中，即曾對古籍之歸類及辨僞方法有所批評，初學者宜加留意。

崔述《考信錄》

此書包括《補上古考信錄》、《唐虞考信錄》、《夏考信錄》、《商考信錄》、《豐鎬考信錄》、《洙泗考信錄》及《豐鎬別錄》等十餘種，經顧頡剛點校，並爲刊行流傳，厥功至偉。

崔氏非常重視古籍的眞僞，甚至於認爲在評論及撰述之前，眞僞的考訂是「正本清源」的；他在《釋例》裏說：「大抵文人學士多好議論古人得失，而不考其事之虛實。余獨謂虛實明而後得失或可不爽。故今爲《考信錄》專以辨其虛實爲先務，而論其得失次之，亦正本清源之意也。」作爲一位史學家，沒有比考辨史籍的眞僞更爲重要，怪不得他將此工作視爲「正本清源」了。

此書臺北世界書局有影印精裝本，翻檢甚易。

【現代】

梁啓超《古書真僞及其年代》

此乃任公在燕京大學的講義，全書分上下二卷，上卷計五章，第一章《辨僞及考證年代的必要》，第二章《僞書的種類及作僞的來歷》，第三章《辨僞學的發達》，第四章《辨僞及考證年代的方法》，第五章《僞書的分別評價》；卷下分論經部各書之眞僞及作成時代，兩卷之間又附有《宋、胡、姚三家所論列古書對照表》，頗便省覽。自來討論古籍辨僞學者，以任公此書最爲完備，惟書中若干章節之條例類別頗爲含糊重複，對初學者而言，頗爲不便。

任公《中國近三百年學術史》第十四章《清代學者整理舊學之總成績（2）》內《辨僞書》項，《中國歷史硏究法》第五章《史料之蒐集與鑑別》，亦涉及古籍辨僞學，可參看。

梁啓超《漢書藝文志諸子略考釋》

本書份量不多，惟詳論各書存佚眞僞，書末並附《漢志諸子略各書存佚眞僞表》，表內並入《志》外僞書，很適合初學者參考。

任公上述二書，臺北中華書局有單行本。

曹養吾《辨僞學史》

此文原發表於東吳大學《水荇》第一卷第一期，後編入《古史辨》第二册下編。文頗長，首論僞書之多及辨僞之重要，其次論「僞書由何而成」，然後才敍述辨僞學之歷史。作者將古籍辨僞及古史辨僞混爲一談，行文頗涉意氣。

張西堂《古書辨僞方法》

原發表於《學燈》（一九二五年三月），余未見此文，待訪。

高本漢《論考證中國古書真僞之方法》

瑞典人高本漢 Bernhard Karlgren 撰有 On the Authenticity and the Nature of Tso Chuan《左傳眞僞及其本質考》，及 The Authenticity of Ancient Chinese Texts《考證中國古書眞僞之方法》，皆涉及古籍辨僞學。後者即本文，由王靜如譯，刊於史語所《集刊》第二卷第三期。

王靜如譯文之前有《引言》，文頗長，詳述高氏考訂《左傳》之證據，頗足參考。正文副題爲「假設一種書的文章有些給他造成他的個性的，而又是後來造僞書所想不到學不不會的些文法上的特點，那麼那種書就是眞的」，高文即申述此論點。

楊鴻烈《中國僞書的硏究》

發表於《晨報》副鐫，一九二四年七月，余未見此文，待補。

普暄《古書多僞的原因》

此文發表於《女師學院期刊》第四卷第一、二期，余未見，待補。

顧實《古今僞書考重考》

余未見此書。

張心澂《僞書通考》

本書成於一九三九年，由商務印書館出版；一九五三年修訂再版，改用横排。臺灣除商務之外，其他各書局亦曾數度翻印，其受士林所重，可以想見。

二十年代之際，顧頡剛與胡適之先生及錢玄同曾書信往返，討論編纂《辨僞叢刊》之事；胡先生一九二一年七月一日曾致函顧頡剛，云：

信二封，《黃氏日抄》一本，都收到了。

《辨偽叢刊》事，你的辦法我很贊成。但我近來想，此書為發生最大效力計，可否以偽書為綱而以各家的辨偽議論為目？例如：

《書經》：

孟子說：——

吳才老說：

朱熹說：

吳澄說：

梅鷟說：

閻若璩說：

惠棟說：

姚際恒說：

龔自珍說：

康有為說：……

你以為何如？……。

顧頡剛七月十日覆信，云：「先生主張把《辨僞叢刊》以僞書為綱，而以各家的辨僞議論爲目，我極贊成這個法子。現在雖不能輯得完全，將來續得也可另做補編。❷」張氏此書，蓋得靈感於此。

作者於《修訂版序》中云：「我編著這書的動機，是在《古史辨》第一册出版未久時，我讀了它感覺到辨僞對於研究學術和考察各時代思想和情況的重要性。我閱讀了姚際恆的《古今僞書攷》，引起我對於僞書的辨別很感興趣，又得着宋濂的《諸子辨》和胡應麟的《四部正譌》，於是把這三部書拼合起來，以書名爲綱，對於某一部書辨僞之說，集合在一起，以便於自己閱讀，初無意於編著。以後在他書得有辨僞資料，也隨時加入，逐漸發展，所集漸多，遂立意編著一部《僞書通考》，以供讀者參考。」此乃本書編纂之經過也。

本書卷端有《總論》一則，文甚長；分論「辨僞之緣由」、「僞之程度」、「僞書之來歷」、「作僞之原因」、「僞書之發現」、「辨僞律」、「辨僞方法」、「辨僞手續」及「辨僞事之發生」諸項，或過錄前人的結論，或申述一己的創見，可供參考。新版卷前也有此《總論》，內容略有增删。

又：《總論》過錄梁任公《古書眞僞及其年代》書中的辨僞方法時，（乙）（丑）下缺了「（A）用後代人名，（B）用後代地名，（C）用後代朝代名」三條，宜補入。新版同。

《目錄》下云：「本書所辨及之書，共一千零五十九部。」可見其網羅之宏富。從事文史哲研究及古籍辨僞學者，皆必備此書。

黃雲眉《古今僞書考補證》

本書首版於一九三二年，其後曾數次重版。黃《序》云：「姚氏之《古今僞書考》，一淺薄之辨僞書也。……分類舛駁，取舍隨意；而叱辱之加，又往往不准於情理之所安。蓋詳核遜宋、胡，而武斷則過之，此不足以服作僞者之心也。近人顧惕生氏因就姚氏之所考而重考之，欲以匡救姚氏之失而爲其諍友。余讀其書，亦頗有獨到之見；而懲噎廢食，盛氣叫囂，其武斷之態度，乃復與姚氏同。則以水濟水，亦何足以服姚氏之心哉！……雖然，姚氏辨僞者也；顧氏辨辨僞者也，非所謂竺古護前之徒也。眞僞愈辨而愈著：姚氏僞之，顧氏眞之，雲眉又從而僞之。求眞而已，非求勝也。眞其所眞，僞其所僞，使眞僞各得其用，此吾輩讀書應有之態度；亦所以爲來者闢一讀書之坦途也。」此本書撰述之意旨也。

作者旁徵博引，見解亦時軼前人，頗足參考。書末有《原著補證異同對照表》，將原著及補證的結論臚列一表內，頗便省覽。

顧頡剛主編《古籍考辨叢刊》（第一集）

本書蒐集有關辨僞通論四種，經學辨僞三種，子學辨僞三種，計十種，由顧頡剛、張西堂、白壽彝及趙貞信等人點校。除《論語辨》、《書序辨》、王柏《詩疑》及劉逢祿《左氏春秋考證》四種爲專論外，其他各種上文已有介紹，此不贅言。顧氏有《序》及《後記》各一則，可參考。

蘇慶彬《閻若璩胡渭崔述三家辨僞方法之研究》

本文發表於香港新亞書院《學術年刊》第三期內，文頗長。《緒言》云：「……本篇之作，專以閻若璩、胡渭、崔述三氏考證學中之辨僞方法爲主，故取材亦限於辨僞，而校勘、訓詁盛於宋明，乾嘉學者極其則，至於辨僞之學，則推閻、胡、崔三氏爲代表，故先就三氏之考辨方法，歸納其通則，以明三氏對審訂史料之貢獻。」除《緒言》外，其章節爲：《閻若璩辨僞方法及其例證》、《胡渭辨僞方法及其例證》、《崔述辨僞方法及其例證》、《閻若璩所解決問題對經學之影響》、《胡渭所解決問題對宋儒理學之影響》、《崔述所解決問題對史學之影響》及《閻胡崔三氏辨僞方法之異同及其得失》；則本文內容，可以概見矣。

作者歸納出三家辨僞之方法，計閻若璩三十四法，胡渭十七法，崔述二十二法，每法之後，皆引例說明，綿密周詳，甚適合初學者參考。

屈萬里《古籍導讀》

此書乃屈師於國立臺灣大學授課時之講稿，後由臺北開明書局印成專書，出版面市。全書分三編，上編《古籍概略及初學必讀古籍簡目》，中編《明板本與辨僞書》，下編《經書（八種）解題》。此書專爲習讀文史科之大學生而撰述，書中除介紹閱讀古籍之方法外，也論及古籍之版本、眞僞及作成時代等問題，下編八種經書之解題，多爲屈師之創見，故初學者宜備之。

屈萬里《先秦文史資料考辨》

此書刊於一九八三年，爲《屈萬里先生全集》之第四分册，臺北聯經出版事業公司出版。

書分上下編，上編論甲骨文、金文及石刻等出土資料，下編論四部之古籍；屈師治學，特重古史古籍之眞僞，平素訓誨學生，亦多就此方面而開導之，此書無論出土資料或傳世古籍，皆詳論其眞僞，以爲治學者明鑑。

鄭良樹《續僞書通考》

本書成於一九八三年，次年由臺北學生書局出版面市，全書分上中下三册，二千餘頁。自一九四〇年以來，舉凡重要之辨僞論著及論文，蓋皆滙萃於本書內；所有論文，皆盡量保持原貌，不加刪節，與正編不同，此亦爲本書特點之一。

本書卷端有《論古籍辨僞學的新趨勢》，綜論晚近數十年古籍辨僞之新發展；卷末又有《僞書通考正續編考訂古籍索引》及《僞書通考正續編徵引資料索引》，於張著正編及本續編之查檢，頗爲方便。

晚近以來，古籍辨僞已成一顯學，專書及論文之出現，多如汗牛充棟，滙聚此等資料於一爐，自非短期間內所能理想臻至，尤非一人之力量所能勝任。本書之編纂刊布，於研治文史者自有相當的參考價值。

孫欽善《古代辨僞學概述》

本文分三部分，發表於《文獻》第十四、十五及十六輯，出版日期自一九八二年十二月至一九八三年六月。該雜誌由北京圖書館《文獻》叢刊編輯部編，書目文獻出版社出版。

除了上文介紹的專著之外，其他散見於各種專書，屬於書中若干章節者，爲數相當多；例如：

一、張舜徽撰有《關於辨識僞書的問題》，在張著《中國古代史籍校讀法》第四編《附論——辨僞和輯佚》之內，該書一九六二年七月出版。

二、梁容若撰有《中國文學史上的僞作擬作與其影響》，在梁著《中國文學研究》之內，該書一九六七年臺北三民書局出版。

三、黃永武撰有《偽詩的種類及成果》及《偽詩鑒別法》，在黃著《中國詩學——考據篇》第三部分《詩歌辨偽法》之內，該書一九七七年臺北巨流圖書公司出版。

四、吳楓著有《偽書的出現與唐宋辨偽工作》及《明清辨偽成就》，在吳著《中國古典文獻學》第七章第三節《辨偽》之內，該書一九八二年山東齊魯社出版。

五、張舜徽又有《辨偽》，在張著《中國文獻學》第六編《前人整理文獻的具體工作》之內，該書一九八二年河南中州書畫社出版。

也涉及古籍辨偽學，值得初學者參考。

⓫ 見《廣校讎略》第四卷《漢人辨偽之法》。張氏又有《中國古代史籍校讀法》，第四編《附論——辨偽和輯佚》也有此六例。

❷ 見《古史辨》第一冊上編，頁三八——頁四十。

附錄・有眞僞問題之古籍一覽表

（本表乃綜合《僞書通考》正、續篇目錄而成，有眞僞問題且經歷代學者討論過之古籍，皆在此中。）

●爲便閱者檢覽，古籍之後皆附正、續篇頁碼。正編有新、舊兩版，舊版直排，新版橫排，今以舊版頁碼置前，新版者置後。續編之頁碼以括號別之。

經部

易類

易緯乾元序制記　一〇三・一四七

元命包　一〇四・一四七

書類

三墳書　一〇五・一四八

今文尚書（通論、堯典、皋陶謨、禹貢、甘誓、盤庚、洪範、康誥、多方、多士、費誓、文侯之命等）　一一二・一五五・（七一）

古文尚書　一二六・一八七・（二七三）

書序　一九八・二三八

尚書大傳　二〇五・二四六

尚書孔氏傳　二〇六・二四七

洪範論圖　二一〇・二五〇

尚書精義　二一〇・二五一

詩類

詩經　二一一・二五一・（二九七）

詩序　二二三・二七一・（三一七）

禮類

春秋類

孝經類

經總類

四書類

論語　四五〇・五一七・（九三一）

孟子　四六一・五二八（九六五）

論語注　〇・五三一

四註孟子　四六四・五三一

孟子正義　四六四・五三一

孟子外書注　〇・五三二

小學類

爾雅　四六五・五三三・（九七一）

蒼頡　四七二・五四二

小爾雅　四七二・五四三・（九七二）

史籀篇　（九七三）

方言　四七三・五四五

說文解字　〇・五五〇

釋名　〇・五五四

千字文　四七四・五五六

玉篇　〇・五五八

史　部

正史類

編年類

竹書紀年　四九〇・五八四
漢記（一〇三三）
元經　五〇〇・五九六
通鑑節要　五〇二・五九八
續宋編年資治通鑑　五〇二・五九九
明六朝索隱　五〇三・五九九

紀事本末類

明史紀事本末　五〇三・五九九

別史類

逸周書　五〇四・六〇〇・（一〇三七）
東觀漢記　五一一・六一六
九國志　〇・六一七
隆平集　五一二・六一七
大金國志　五一二・六一八

雜史類

明皇雜錄（一一一三）
藝祖受禪錄　五五六・六七〇
龍飛記　五五六・六七〇
致身錄　五五六・六七〇
從亡日記　〇・六七二
孤臣泣血錄　五五六・六七三
靖康蒙塵錄　五五七・六七四
靖康要錄（一一一五）
北狩行錄　五五七・六七四
靖炎兩朝見聞錄　五五八・六七四
南渡錄、竊憤錄　五五八・六七五
平巢事蹟考　五五九・六七五
碧溪叢書　五五九・六七五
南遷錄　五五九・六七五
平宋錄　五六〇・六七六
蒙古秘史（一二二一）
國初禮賢錄　五六一・六七七

傳記類

地理類

職官類

政書類

漢舊儀 六〇二·七一四
邦計彙編 六〇二·七一五
貢舉敍略 六〇三·七一五
紹熙州縣釋奠儀 六〇三·七一五
拯荒事略 六〇三·七一五
元海運志 六〇四·七一六
鹽法考略、錢法纂要 六〇四·七一六
國賦紀略 六〇四·七一六

史評類

詩史 六〇五·七一六
兀涯西漢書議 六〇五·七一七
史綱評要 （一一八三）

子部

儒家類

漁樵問答　六四九・七七五

潛虛　六四九・七七六

伊川粹言　六五〇・七七六

浩齋語錄　六五〇・七七七

王溪師傳錄　六五一・七七七

性理字訓　六五二・七七八

研幾圖　六五二・七七八

言子　六五二・七七八

薛子道論　六五三・七七九

性理綜要　六五三・七七九

性理標題彙要　六五四・七七九

道家類

黃帝內傳　六五五・七八〇

伊尹　六五五・七八〇

鬻子　六五六・七八一・（一二八一）

老子　六六一・七八六・（一二八四）

關尹子　六九〇・八〇一・（一三二二）

墨家類

隋巢子　七六二·八八六

法家類

管子　七六三·八八七·（一四五九）

商子　七六九·八九六·（一五三八）

愼子　七七一·九〇一·（一五四一）

韓子　七七四·九〇五·（一五四八）

管子注　七八三·九一五

洗冤錄　（一五六三）

名家類

鄧析子　七八四·九一五·（一五六五）

尹文子　七八六·九二二

公孫龍子　七八九·九二九·（一五六六）

兵家類

握奇經　七九一·九三二

六韜　七九二·九三三·（一五九三）
孫子　七九七·九三八·（一五九八）
孫臏兵法（一六二七）
吳子　八〇二·九四三
尉繚子　八〇三·九四四·（一六三一）
司馬法　八〇四·九四六
伍子胥　八〇六·九五〇
黃石公三略　八〇六·九五〇
素書　八〇八·九五一
心書　八〇九·九五三
武侯十六策　八一〇·九五三
將苑　八一〇·九五三
李衞公問對　八一〇·九五四
兵要望江南　八一二·九五六
李臨淮武記　八一三·九五七
倚馬立成法　八一三·九五七
人事軍律　八一四·九五七

農家類

相牛經 〇・九五七

禽經 〇・九五八

齊民要術 八一五・九六一

何首烏傳 八一五・九六三

歲華紀麗 〇・九六三

醫家類

本草 八一六・九六四

神農皇帝眞傳鍼灸圖 〇・九六八

素問 八一九・九六九

靈樞經 八二〇・九七八

黃帝鍼灸蝦蟇忌 〇・九八四

子午經 八二一・九八四

難經 八二三・九八四

傷寒論 八二三・九八九

雜家類

於陵子　八三四・一〇一一・（一六五六）
鬼谷子　八三五・一〇一二・（一六六三）
呂氏春秋　八三八・一〇一四・（一六七一）
白虎通義　八四〇・一〇一六
淮南子註　八四〇・一〇一六
獨斷　八四四・一〇二〇
正訓　八四四・一〇二〇
孫子　八四四・一〇二〇
古今注、中華古今注　八四五・一〇二一
感應類從志　八四五・一〇二〇
劉子新論　八四六・一〇二二・（一六七三）
論衡　（一六八二）
瑞應圖　八四八・一〇二五
兩同書　八四九・一〇二五
化書　八四九・一〇二六
事物紀原　八五一・一〇二七
物類相感志　八五一・一〇二七・（一六八三）

續古今考　八五七・一〇三二
景行錄　八五七・一〇三三
女紅餘志　八五八・一〇三三
瑯嬛記　八五八・一〇三三
藝圃蒐奇　八五八・一〇三三
多能鄙事　八五九・一〇三四
都氏鐵網珊瑚　八五九・一〇三四
春雨雜述　八五九・一〇三四
蕉窗　八六〇・一〇三四
筠軒清秘錄　八六〇・一〇三四
飛鳧語略　八六〇・一〇三五
綱常懿範　八六一・一〇三五
讀升庵集　八六一・一〇三五
疑耀　八六一・一〇三五
諸子彙函　八六二・一〇三六
天池秘集　八六三・一〇三七
再廣歷子品粹　八六三・一〇三七

小說家

續博物志　八七八・一〇五一

拾遺記　八七八・一〇五一

世說新語（一六九五）

殷芸小說　八七九・一〇五二

稽神異苑　八七九・一〇五二

述異記　八七九・一〇五三

續齊諧記　八八一・一〇五四

大業拾遺記　八八一・一〇五五

海山記　八八二・一〇五五

迷樓記　八八二・一〇五五

開河記　八八二・一〇五六

龍城錄　八八三・一〇五六

陸氏集異記　八八三・一〇五七

雲仙散錄　八八四・一〇五七

續世說　八八五・一〇五八

周秦行紀　八八五・一〇五九

洽聞記　八八六・一〇五九

曆算類

術數類

八五經 九〇八・一〇八四

宅經 九〇八・一〇八五

玄女經 九〇九・一〇八五

珞琭子 九〇九・一〇八五

命書 九一〇・一〇八六

相掌金龜卦 九一〇・一〇八七

貴賤定格三世相書 九一一・一〇八七

靈棊經 九一一・一〇八七

東方朔占書 九一一・一〇八八

易衍 九一二・一〇八八

葬經 九一二・一〇八八

玉照定眞經 九一三・一〇八九

葬書 九一三・一〇八九

續葬書 九一四・一〇九〇

狐首經 九一四・一〇九〇

藝術類

畫山水訣　九三一·一一〇四
宣和集古印史　九三二·一一〇四
湖州竹派　九三二·一一〇五
圖繪寶鑑續編　九三三·一一〇五
寓意編　九三三·一一〇五
琴譜正傳　九三四·一一〇六

譜錄類

禽經　九三五·〇
古今刀劍錄　九三七·一一〇七
鼎錄　九三八·一一〇七
紹興內府古器評　九三八·一一〇七
古玉圖譜　九三九·一一〇八
燕几圖　九四一·一一一〇
易牙遺意　九四一·一一一〇
別本茶經　九四一·一一一〇
酒史　九四二·一一一一

類書類

可知編　九五〇・一一六
五車霏玉　九五〇・一一七
詩學事類　九五〇・一一七
韻學事類　九五〇・一一七
韻與淵海　九五一・一一七
異物彙苑　九五一・一一七
彙苑詳註（類苑詳註）　九五一・一一八
古今類腴　九五一・一一八
玉函山房輯佚書　〇・一一八

集部

楚辭類

楚辭章句　九五三・一一二一・（一七六七）

別集類

沈下賢集　九六五・一一五一

杜牧樊川續別集　九六五・一一五一・（一八〇七）

白樂天長慶集　九六六・一一五一・（一八五五）

孫可之集　九六六・一一五二

別本公是集　九六七・一一五三

周元公集　九六七・一一五三

臨川集　九六七・一一五三・（一八五七）

東坡全集　九六八・一一五三

杜牧故事　九六九・一一五五

山谷精華錄　九六九・一一五五

雙峯存藁　九七一。一一五六

陳文恭公集　九七二・一一五七

錦繡論　九七三・一一五八

岳武穆集　九七三・一一五八・（一八五八）

北山集　九七三・一一五八

呂東萊集　九七四・一一五九

松垣集　九七四・一一五九

詩集類

孟浩然集　九八一・一一六五

王右丞集（一八九八）

錢仲文集　九八二・一一六五

李太白集（一九〇五）

昌谷集　九八二・一一六六

庚子山集（一九二三）

王建宮詞　九八三・一一六六

李益詩集（一九二五）

鄭嵎津陽門詩　九八三・一一六七

曹松集　九八四・一一六七

香奩集　九八四・一一六七

豐溪存藁　九八五・一一六八

譚藏用詩集　九八六・一一六九

東坡詩集註　九八七・一一七〇

支離子集　九八八・一一七一

斜川集　九八八・一一七一

志道集　九八九・一一七二

詞曲類

總集類

春秋詞命　一〇〇九・一二〇三
廣文選　一〇〇九・一二〇三
翰苑瓊琚　一〇一〇・一二〇四
三蘇文範　一〇一〇・一二〇四
詞林萬選　一〇一〇・一二〇四
群賢梅苑　一〇一一・一二〇五
唐詩選　一〇一一・一二〇五
文章指南　一〇一二・一二〇五
詩女史　一〇一二・一二〇六
翰墨選注　一〇一二・一二〇六
鉅文　一〇一三・一二〇六
評註八代文宗　一〇一三・一二〇六
中原文獻　一〇一三・一二〇七
詩歸　一〇一四・一二〇七
明詩歸　一〇一四・一二〇七
名媛詩歸　一〇一五・一二〇八
古文彙編　一〇一五・一二〇八

詩文評類

〔道佛二藏不錄〕

國家圖書館出版品預行編目資料

古籍辨僞學
／鄭良樹著. --初版. --臺北市：
臺灣學生；民75
面； 公分. --

ISBN 957-15-0857-8 (精裝)
ISBN 957-15-0858-6 (平裝)

圖書 - 考證

011.7 86014395

古籍辨僞學（全一册）

著作者：鄭良樹
出版者：臺灣學生書局
發行人：孫善治
發行所：臺灣學生書局
臺北市和平東路一段一九八號
郵政劃撥帳號〇〇〇二四六六八號
電話：三六三四一五六
傳眞：三六三六三三四
本書局登記證字號：行政院新聞局局版北市業字第玖捌壹號
印刷所：宏輝彩色印刷公司
地址：中和市永和路三六三巷四二號
電話：二二六八八五三
定價 精裝新臺幣三一〇元
平裝新臺幣二四〇元
西元一九八六年八月初版
西元一九九七年十一月二刷

01102

ISBN 957-15-0857-8（精裝）
ISBN 957-15-0858-6（平裝）